编委会

总策划：刘贵彦

编　　委：金媛媛　贾仁道　任太平

　　　　　徐　翔　邢　婷　姚梅花

序

　　北京师范大学芜湖附属学校自建校以来,以"为党育人,为国育才,全面提高人才培养质量"为指导,全面贯彻党的教育方针,落实立德树人的根本任务,凝心聚力培养德智体美劳全面发展的中国特色社会主义建设者和接班人。学校始终秉承北京师范大学"人·爱·创新"的价值观,坚持"没有爱就没有教育,没有兴趣就没有学习,教书育人在细微处,学生成长在活动中"的育人方针,精心设计,以活动为载体,扎实推进"活动育人""全程育人""全员育人""培育全人"。

　　学校立足"学生成长在活动中"的育人方针,多路推进,经纬交织,开展丰富多彩的活动。例如,每天大课间的跑操、跳绳、啦啦操,每两周一次的主题升旗仪式,德育教育的主题演讲,定期开展丰富多彩的系列活动(社会实践活动、研学活动、军训、春季全员运动会、秋季田径运动会、年度元旦晚会、成人仪式、入团仪式等),同时创建了多样社团。精心策划德育主题,以刊载形式每月一期,熔铸内涵,打造精品,强化对德育活动的时代化、生活化、鲜活化、系统化设计。各类主题活动具有很强的教育性、针对性、时效性,能激发学生参与的热情,在活动中展现风采、锻炼能力。

　　学校还秉承"全员德育""全程育人"的教育思想,对学生的学习和生活全过程精心设计,全体教师用心践行"陪伴是最好的教育""没有爱就没有教育"的教育内涵,坚持从人才成长规律出发,针对不同年龄段学生特点和需求,采取与之相适应的教学方式,突出教学重点,陪伴学生健康成长。同时,以校党总支、政教处为主,工会、班主任、授课老师积极主动参与,家校联动,实行"全员德育"。做到教师人人是导师,学生个个受关爱,教书与育人并重。每一位教师都肩负育人责任,思想上引导、心理上疏导、生活上指导、学业上辅导,全方位关注学生身心健康,营造良好的全员育人氛围。"人人都是德育工作者,人人都是德育导师",用爱陪伴学生成长,做学生的良师益友。不仅如此,学校还努力构建学校、家庭校内外联动的德育工作网络,协同育人,家校合作,形成德育合力。我们让家长更多地参与学生的成长过程中来,把家长引导和培育成为立德树人的一支有生力量。

学校着力培育全人,促进学生的德智体美劳全面发展。努力培养具有优秀品质、丰富知识、强健体魄、健全人格、健康心理的优秀人才。"我运动、我健康、我快乐",从体育课、大课间活动、课外体育锻炼三个方面确保学生每天有一小时的体育锻炼时间。学校的阳光体育大课间活动,吸引了很多兄弟学校慕名前来观摩,获得了家长和各级领导的高度赞誉。"防溺水""传染病预防""交通安全""禁毒禁烟"等主题班会课深入人心,班级电子班牌、法治教育基地长廊、展板宣传栏等图文并茂,内容丰富多彩。消防安全、防震减灾、疫情防控等各项演练训练有效强化了师生安全意识,筑实了校园安全防护大堤。学校高度重视师生的心理健康教育,成立心理健康中心,聘任心理健康专职教师,引进北京师范大学心育优质资源,成立校心理社团。"5·25心理健康节"活动内容丰富,各项团体辅导活动为学生心灵赋能。

学校在"大德育观"的指导下将德育教育课程化,建设富有特色的学校德育课程体系,政教处把建校以来德育教育系统化、文字化,编写成德育校本教材用于指导和规范学校的德育工作,建设富有特色的学校德育课程体系,着眼学生全面而又高素质的发展,整体规划德育活动,科学推进德育课程化进程。将德育课程纳入整体课程建设,坚持德育创新,实行全员教育与全程教育全覆盖,整合学校、家庭、社区"三位一体"的德育资源,提升教育合力,营造良好的育人环境。

"育人先育德,树人先树心",立德树人是育人之本、兴校之基、办学之魂,学校将始终不渝落实立德树人的根本任务,深耕细耘立德树人的新时代内涵与实施路径,拓展维度、延伸深度、润德于心、育德于行,培养学生健全的人格,促进学生健康成长,为党和国家培养出德才兼备的优秀人才。

刘贵彦

2023 年 10 月 31 日

目 录

第一章
立德树人

党的二十大报告强调,我们要办好人民满意的教育,全面贯彻党的教育方针,落实立德树人根本任务。这是以习近平同志为核心的党中央继承、丰富和发展党的教育方针的集中体现,是党的教育理论创新的最新成果,是新时代中国特色社会主义教育理论的精髓,是推进我国教育现代化的行动指南。学习贯彻党的二十大精神,就是要把立德树人根本任务,作为教育现代化的方向和目标,培养德智体美劳全面发展的社会主义建设者和接班人。

第一节　树立正确三观

随着社会经济不断进步,科技的迅猛发展,各种思潮纷至沓来,出现不同观念的碰撞,对学生的各个方面造成影响。因此,需要培养学生树立正确的世界观、人生观、价值观,提高学生的思想政治素质,促进学生全面健康发展。加强学生的思想政治教育是一项非常重要的任务,学生是民族的未来,祖国的希望,培养学生树立科学的三观,可以保证中国特色社会主义事业兴旺发达,促进我国进步与发展。

一、什么是三观

三观一般是指世界观、人生观、价值观,它们辩证统一,相互作用。

世界观是人们对生活于其中的整个世界以及人和外在世界之间关系的根本观

点、根本看法。它是在社会实践的基础上产生和逐渐形成的。人们在实践活动中,首先形成的是对于现实世界各种具体事物的看法和观点。后来,人们逐渐形成了关于世界的本质、人和客观世界的关系等总的看法和根本观点,这就是世界观。

人生观是对人生目的、意义的根本看法和态度。人生观是世界观的重要组成部分,是世界观在人生问题上的具体表现。它指导着人们的生活方向,影响着人们的道德品质和道德行为,决定着人们一生的价值目标和生活道路。人生观的主要内容包括人生目的、人生态度和人生价值三个方面。这三个方面相互联系、相辅相成,统一为一个有机整体。

价值观是基于人一定的思维感官之上而作出的认知、理解、判断或抉择,也就是人认定事物、辨别是非的一种思维或取向,从而体现出人、事、物一定的价值或作用。价值观对人们自身行为的定向和调节起着非常重要的作用。价值观决定人的自我认识,它直接影响和决定一个人的理想、信念、生活目标和追求方向的性质。

二、三观教育

提高学生的思想政治素质需要结合社会实际,开展实践活动,培养学生良好的品格,增强学生的社会责任感,帮助学生树立正确的世界观、人生观、价值观。

(一)社会实践,活动育人

为提升学生的思想政治素质,培养中国特色社会主义的接班人,在开展三观教育社会实践活动中应严格坚持社会主义核心价值观的积极引领作用,将社会的价值取向、思想意识以及道德素质等内容融入学生的社会实践活动中,帮助学生树立正确的世界观、人生观以及价值观。学校围绕爱国、守法、明礼、诚信、友善等三观主题,通过开展主题升旗仪式及主题班会等多种形式,促进学生树立正确的三观。

　　为加强三观教育,学校德育部门积极开展形式多样的社会实践活动,如组织学生到芜湖市博物馆、芜湖市委党校等场所参观,组织各年级学生到芜湖实训基地开展社会实践活动。

人是价值的主体,是价值的创造者、享受者,因此在进行三观教育社会实践活动时,学校贯彻以人为本的精神,充分尊重人的主体地位,发挥人的创造性以及主动性,正确处理人与自然、社会以及自身的关系,帮助学生树立正确的三观。

(二)课程思政,以文化人

树立课程思政理念,深度挖掘各学科教学中的思政元素,把红色基因植入课堂教学。一是以举办思政课教学竞赛为切入点,展开积极、热烈的课程思政研究与实践讨论。二是鼓励教师积极参加各级各类思政活动,让每个教师在教学中融入思政理念,落实立德树人的目标,同时加深对课程思政内涵的理解。三是开展德育优秀论文评选,引导教师将德育、课程思政贯穿教育教学过程中,真正做到德育渗透,提高实效。四是将学校小课堂与社会大课堂融合,积极开展公益活动、参观访问等社会实践活动,激发学生参与社会生活的热情,培养学生政治认同感、法治意识等。五是开展政史融合的课题研究,用历史实例佐证政治观点,通过对比历史学科核心素养从另一个角度去培养政治学科核心素养,在比较、融合中加深对社会主义核心价值观的理解和感悟。

(三)校园文化,以境育人

学校整合校园德育标语、历史伟人塑像、绿化长廊、艺术长廊和党员活动室等教育资源,让学生在耳濡目染中,提升综合素养,传承中华民族优秀的传统文化,感悟老一辈革命家的抱负和情怀,弘扬以爱国主义为核心的伟大民族精神。

(四)社团活动,以美塑人

学校秉承"人·爱·创新"的教育价值观,认真践行"没有爱就没有教育,没有兴趣就没有学习,教书育人在细微处,学生成长在活动中"的教育理念,立足校园,面向社会,面向未来,高度重视学生社团建设,将社团作为拓宽学生兴趣爱好,发展学生特长能力,提升学生综合素质的第二课堂。

建校以来,学生社团数量不断增加,到目前为止已成立20多个社团,涵盖体育、美育、文化、科技等多个领域。学生们可根据自己的兴趣特长选择心仪的社团,发展个性、展现风采、提升能力,真正享受着快乐教育,收获成长的喜悦。

(五)主题活动,以情感人

学校构建多元、立体的德育工作行事历,积极培养学生行为习惯,加强理想信念、家国情怀、健康心理及健全人格培育的引领。一是把党日活动与团队日活动结合起来,开展系列理想信念的主题教育。挖掘乡土红色资源,举行"追寻英雄足迹,传承红色基因"的研学实践活动,让学生感知革命先烈不畏艰险、不怕牺牲、勇往直前、敢于胜利的精神和艰苦岁月。二是开展学生爱国主义观影和观后感征文活动,让每个学生感动于可歌可泣的革命先烈英雄事迹和共产党人的历史担当,让每个学生内心深处生成对党的热爱。三是开展文明礼仪行为习惯养成教育活动,以及心理健康教育和青春期教育活动,举办"法律进校园暨交通安全专题讲座",组织学生参加网上"宪法小卫士"活动;举行反邪教师生签名活动;利用6·26

国际禁毒日,采用集中讲座、召开主题班会、观看禁毒视频、办展板、办手抄报、参加禁毒知识网络学习和知识竞赛等形式广泛开展禁毒教育;开展劳动教育和环保教育,开展调查实践活动等。这些活动润物无声地助力每一个孩子世界观、人生观、价值观的积极培养。

第二节 法治教育

法治是国家长治久安和繁荣发展的重要保障,是社会文明进步的重要标志,是以理性方式解决社会矛盾的最佳途径。在实现中华民族伟大复兴中国梦的历史进程中,必须推进全面依法治国,建设社会主义法治国家。

一、法治教育的重要性

我国宪法规定："中华人民共和国实行依法治国,建设社会主义法治国家。"依法治国是我国治国理政的基本方式,通过实行法治,保障人权,维护社会和谐,实现长治久安,推进国家治理现代化。现代国家是法治国家,法治文明是现代国家的重要标识。

中学生是未来社会的建设者,他们法治意识、法治素养的高低,对依法治国基本方略的顺利实现会产生直接影响。培养中学生法治意识有利于学生健康成长,有利于培养合格的社会主义公民,有利于建设社会主义法治国家。思想政治课堂作为培养学生核心素养的重要阵地,要坚持法治教育与思想政治教育相结合,课堂教育与课外教育相结合,不断提高学生的法律素养,让尊法、学法、守法、用法成为学生的自觉追求。

二、法治教育活动

(一)国家宪法日

为深化"法治进校园"活动,进一步提升全校师生尊法、学法、守法、用法意识,引导学生知法、守法、依法维护合法权益,预防青少年违法犯罪,加强法治教育宣传工作力度。学校利用国家宪法日对全体学生进行宪法教育,丰富学生的宪法知识,让学生懂得要维护宪法、尊崇宪法,弘扬宪法精神,做一名遵纪守法的好学生。

(二)主题活动

学校德育教育部门利用相关法律条款和法治资料,宣传《中华人民共和国宪法》《中华人民共和国刑法》《中华人民共和国未成年人保护法》《中华人民共和国预防未成年人犯罪法》《中华人民共和国道路交通安全法》《中华人民共和国消防法》《中华人民共和国食品安全法》和《中华人民共和国防震减灾法》等与青少年健康成长密切相关的法律知识。通过主题班会教育、宪法晨读活动等引导广大学生尊法、学法、守法、用法,培养法治意识,提高法治水平。

　　例如,宪法晨读活动是在学校统一安排下,全体学生开展学习宪法的活动。首先班主任带领学生学习习近平法治思想,接下来学生对宪法等文本内容进行朗读,学生跟随大声诵读,用心体会宪法的庄严与神圣。

(三)开展电子班牌展示活动

　　为了进一步拓展学生对宪法及习近平法治思想的学习,学校用学生喜闻乐见的方式将学习内容呈现在电子班牌、黑板、告示牌上,学生可以利用下课时间进行观看,进一步加深对宪法及习近平法治思想的认识。这些展示活动营造了宪法学习的浓厚氛围,激发了学生学习宪法及习近平法治思想的热情。

（四）参观法治教育基地

为推进法治教育与实践相结合，学校组织师生定期参观法治教育基地，引导学生尊法、学法、守法、用法。法治教育基地展区分为普法篇、习近平法治思想篇、宪法篇、警示篇、案例篇、普法作品专栏。长廊宣传展板内容丰富，贴近学生生活实际，学生跟随讲解老师的脚步，在参观的同时聆听了解和学习法律知识。

一个个触目惊心的案例，一条条直接明了的释法条例，一幅幅精美的普法作品，一张张令人警醒的图片，发人深思，使学生深刻意识到要自觉做到尊法、学法、守法、用法。

参观法治教育基地，以案说法及现场教育，给学生上了一节生动而有意义的法治教育课，有效地宣传了法律知识，激发了学生学法的热情，增强了学生的法治意识，促进了法治校园、平安校园、和谐校园建设。

（五）宣讲活动

为弘扬宪法精神，增强学生的法律意识，营造文明、平安、和谐的校园育人环境，学校每学期聘请专业法治宣讲人员，到校举行法治讲座，使师生们进一步懂得如何运用法律保护自己的合法权益。

拓展阅读

　　2021年12月17日,法治副校长播放了一段融合芜湖地方红色故事和检察职能的微视频,视频中"检察蓝"守护"英烈红"的真实案例让人动容,同时让学生明白检察机关也在努力守护着青少年的健康成长。

　　接下来,芜湖市人民检察院奚要武围绕认识崇尚法治的重要意义、结合案例探讨远离违法犯罪、自觉养成法治意识三个问题展开深入分析。从沉迷网络、校园欺凌、盗窃他人财物引发的违法犯罪等角度,列举大量的具体案例,深刻剖析和讲解了青少年走上犯罪的主客观原因,以及如何预防青少年犯罪等知识。以案释法,以法论事,报告讲解深入浅出,同学们受到了深刻的教育。

法治课最后，奚要武提出要与同学们约法三章，即提出三点希望：一是攀登知识之峰，二是追逐法治之光，三是守住纯良之本。希望同学们能够从小事做起，从现在做起，自觉提高自我修养，规范自己的言行，自觉做遵纪守法好少年。

学校通过这类宣讲活动的开展，力求把法治宣传教育活动和政治思想教育、法治道德教育等有机结合起来，加强对青少年学生的法治教育，力求做到无一例违法犯罪事件，无安全事故或其他重大偶发事件。同时，通过活动，加强校风、班风和学风建设。

（六）法治知识竞赛和演讲比赛

学校始终坚持依法治校的方针，并把法治教育工作的重点落实到教育教学的各个环节中。通过内容丰富多彩的法治教育活动，让法治教育真正走进学生的心里。

学校积极组织参加各类法治比赛，以巩固法治教育成果。学校的精心组织和指导教师的精心准备，为学生获得优异的成绩奠定坚实的基础。学生多次获得芜湖市高中"学宪法、讲宪法"演讲比赛一等奖、芜湖市高中"学宪法、讲宪法"知识竞赛一等奖。

第二章
心理健康

学生的心理健康日益受到重视,有些心理问题已影响学生正常的学习和生活,阻碍着他们的健康成长。学校在教育教学的过程中,深切地感受到良好的心理品质对个体终身发展的重要意义,以及将心理辅导纳入学校课程体系的现实意义。学校结合实际,在向学生普及心理健康知识外,重点向学生传输健康的生活理念,教授科学的心理调节技能,帮助学生解决这个年龄段普遍存在的心理困惑和易发问题,引导学生健康成长。

第一节 心理健康基础知识

心理健康是人的健康不可分割的重要方面,那么什么是人的心理健康呢?

一、身心健康

(一)心理健康与生理健康的关系

世界卫生组织给健康下的定义为:健康是一种身体上、精神上和社会适应上的完好状态,而不仅仅是没有疾病及虚弱现象。从世界卫生组织对健康的定义中可以看出,其包含了三个基本要素:躯体健康、心理健康、具有社会适应能力。全面健康包括躯体健康和心理健康两大部分,两者密切相关,缺一不可。在现实生活中,心理健康和生理健康是互相联系、互相作用的,心理健康每时每刻都在影响人的生理健康。如果一个人性格孤僻,心理长期处于一种抑郁状态,就会影响体内激素分泌,抵抗力下降,疾病就会乘虚而入。因此,在日常生活中一方面要注意合理饮食和身体锻炼,另一方面要陶冶自己的情操,开阔自己的心胸,避免长时间处在紧张的情绪状态中。如果感到自己的心情持续不快,要及时进行自我心理调试,必要时到心理门诊或心理咨询中心接受帮助,以确保心理和生理的全面健康。

(二)心理健康的标准

心理健康的标准主要有:具有充分的适应力;能充分地了解自己,并对自己的能力做出适度的评价;生活的目标切合实际,不脱离现实环境;能保持人格的完整与和谐;善于从经验中学习;能保持良好的人际关系;能适度地发泄情绪和控制情绪;在不违背集体利益的前提下,能有限度地发挥个性;在不违背社会规范的前提下,能恰当地满足个人的基本需求。

二、不良的心理行为表现及应对策略

(一)注意异常

注意异常有两种:一种表现为注意力增强,如过分注意他人的一举一动、过分注意自身健康、产生各种不必要的想法等,从而导致出现神经性强迫症,做任何事总是担心做不好,不断地重复检查再检查,产生不必要的心理活动和行为表现;另一种则表现为注意力不够集中,达不到其应该达到的心理年龄,如无法把注意力集中到每一节课中,容易被外面的事物所吸引,容易感到疲劳、力不从心、心烦意乱等,从而无法进行正常的学习和生活,出现厌学、逃学的现象。

在注意力不够集中的情况下,我们可以从以下几个方面入手:创造良好的读书环境;学习时应选择安静的地方,使自己与外界的干扰性刺激隔离;使学习活动简单化。在学习时,除了带必要的书本及文具外,不携带使自己分心的东西,尽量少摆东西在课桌上,这样可以减少分心,保持注意力的高度集中;同时进行必要的体育锻炼,有助于克服注意力不集中的缺点,提高对外界的各种刺激的适应力。

(二)情绪反应异常

人情绪的变化,常常和我们的生活经历有关。在学习和生活中,我们常常会遇到各种让我们开心或不开心的事情。当情绪低落时,即不开心的时候,不妨采用以下方法来调节我们的情绪。

1.换位思考

我们在学习和生活中,遇到困难时,有时会心灰意冷,觉得前途渺茫。此时如果换一种想法,想到吃一点苦,受一点挫折对自己是有好处的,因为失败也能让我们有收获;或者想,自己还年轻,还可以从头开始,时间可以增加阅历,失败可以总结经验,并暗示自己,"车到山前必有路""胜败乃兵家常事"等。

2.掌握放松技术

当不高兴时,可以应用自己已经掌握的放松技术,来缓解内心的痛苦,使自己身心健康。

3.合理发泄

当心情不好时,可以通过合理的方式来发泄自己的情绪,缓解内心的不平衡。例如,打球、跑步、爬山,以及找个没人的地方大哭一场,或向自己最好的朋友倾诉,将不开心的事说出来等,这样心理会好受一些,但切记不可选择伤害自己或他人。

(三)学习困难

学习困难对学生来说是经常遇到的问题,有时我们会感到力不从心,从而丧失信心,灰心丧气,一蹶不振。其实,在学习中,谁都会遇到困难,许多有成就的人都是靠自己的努力而获得的。所以,当我们在学习上遇到困难时,不能灰心丧气,要克服学习中的一切困难和压力,勇敢面对,也可以向同学或老师请教。

(四)人际关系紧张

所谓人际关系就是与好朋友(或者同学)之间、与教师之间、与家人之间等的关系。人与人之间的交往前提条件是相互尊重,要关心他人的需要,体会及体谅他人的处境,乐于奉献,甘于付出,帮助朋友解除忧虑,创造良好而和谐的交际氛围,才会获得良好的人际关系。因此,在人际交往中要热情直率,心胸开阔,对未来及前途充满信心,不过多地计较个人得失,相互谅解;要诚实可靠,不能虚伪,如果为了个人的利益而背信弃义,就不会赢得他人的信赖;同时要通情达理,乐观向上,要时时处处理解别人,宽容别人,在别人痛苦的时候,给人以宽慰,保持乐观向上的态度。

（五）考试焦虑

在日常学习和生活中,我们时常会产生紧张心理,特别是面对考试时感到紧张、焦虑,以至于考试前无法进行有效的复习,考试中无法正常地发挥,从而使得考试后感到失落、失望。那么,当我们遇到这种情况时,应如何去应对呢?

1.自我放松

在音乐伴奏下,选择一个舒适的位置坐下,依次用力将拳头握紧后再放松,牙齿咬紧后再放松,皱眉后再放松,脖子挺硬后再放松,下肢用力伸直后再放松。每次练习半小时,直到能够随意将身体的任一部位放松为止。当产生焦虑情绪时,可以这样慢慢地放松,慢慢地缓解。

2.转移注意力

紧张和焦虑是因为我们过度关注某一事物,这种情况下,我们可以通过转移注意力来缓解紧张和焦虑,如可以通过听相声、看小品、听音乐等方法,来把我们从紧张焦虑的情绪状态中解放出来。

3.深呼吸及自我暗示

如出现考试焦虑,可以先闭上眼睛,然后做多次深呼吸,缓吸缓呼,把心神凝于一点,用以稳定自己的情绪,有意地让自己想象愉快的事情,并进行良好的自我暗示:"我行,我一定能发挥我自己的水平,我一定能取得好成绩。"这样可以在某种程度上增强自信心,减轻或消除心理紧张。

（六）意志薄弱,缺乏自信

所谓自信心,就是相信自己,坚信自己具有获得成功的能力,并因此立志,坚定信念,战胜困难,收获成功硕果。自信心对人的一生至关重要,没有自信心的人,眼前的世界便没有鲜亮的色彩。每个人在人生的旅途中都会遇到这样或那样的挫折,而能让自己的生活绽放光彩的法宝就是自信心。缺乏自信心,变得不相信自己,那后果是无论什么事你都不相信自己的答案是正确的,不相信你能够胜任某个工作,而自信的人,遇到任何事都相信自己能行。

只有相信自己，才能激发进取的勇气。自信孕育着信心，你能通过充满信心的活动使别人对你和你的意见产生信心。学习、生活中的许多问题，实际上正是来源于一个人的信心不足，其实一旦获得了信心，许多问题就将迎刃而解。

第二节 新起点 "心"开始

新起点，"心"开始，既是对大家实际情况的一个概括，也是希望大家能够积极调整心态，尽快适应初、高中生活，完成衔接。对部分同学而言，来到一个新环境，必然会有很多地方不适应，有的同学甚至对此无所适从，不知所措，所以就出现了很多"我该怎么办"的困惑。

一、适应新环境

学生来信节选：

老师，我感觉我好惨啊！……

来到这里学习，班里的同学好奇怪。有的很喜欢玩，全然不把学习当回事；有的很喜欢学习，下课都在学习，不浪费一分一秒……

老师也很奇怪，不只是上课讲个不停，还要给我们提好多要求……作业也太多了，写都写不过来……

这还不算，睡眠严重不足！每天六点起床，还要早读、跑操，还要学习新操。学习科目那么多，根本没时间做自己喜欢的事情。我很想家，已经好久没见到爸爸妈妈了……

天啊！想到要在这里学习三年，我该怎么办啊……

（一）为什么会产生这样或那样的困惑

1.期望值与现实的落差

同学们在初中可能是班里的佼佼者，被同学尊重、被老师关注，被亲朋好友视为聪明的孩子，因此内心难免会有一种很强的优越感。但是，进入高中后一切都变了,同学可能比你更优秀,面对老师一视同仁、公平对待的做法,有些同学开始失落了,曾经的优越感不在,自卑感产生,自信心动摇,陷入茫然……

2.自我松懈与现实压力的冲突

很多学生觉得,进入高中就等于踏入大学校门,距离高考还有三年,自己初中也是边玩边学等,因此放松了自己。但现实的压力却比初中时更大了,看到别的同学都在埋头苦学,自己一颗放松的心既放松不起来,也集中不起来,以至于玩得不痛快学得不踏实,同时内心谴责自己没有好好学习,觉得对不起父母,于是便有一种负罪感。

3.独立意识与自理能力欠缺

随着年龄的增长,知识的丰富,能力的提高,青少年的独立意识日益提高,总想要逃离父母的掌控。面对父母提供的一切都感到唾手可得,甚至多余,但是一旦有了独立的空间,才感到力不从心,很多事情无法自理,于是对自己的能力产生怀疑,对自己失望。

4.新鲜感与怀旧感的冲突

初到一个环境,新鲜的事物冲击着兴奋的大脑,刺激着好奇的神经,但随着时间的推移,新鲜感消失后我们又会产生强烈的怀旧感,继而内心感到委屈。

(二)如何适应新环境

人面对不熟悉的环境时,会有紧张不适的感觉,这是很自然的现象。只有认识到问题的根源,才能尽快调整自己。我们需要改变自己的想法、行为,适应环境,可以尝试以下做法。

1.正确地认识自己、定位自己、评价自己

在每一个阶段,每个个体都有自己的核心任务。这就要求我们必须建立相应的思维方式和行为方式,把人际交往、自我评价和适应环境跟这个阶段的主要任务联系在一起。

因此,我们必须客观正确地认识自己,找出自己的优劣势,发挥主观能动性,自主地学习。同时,也要客观公正地认识他人的优劣势,进行交流与合作,吸收别人好的学习方法。在知己知彼的同时,还要找准自己的位置,合理地定位自己,确定合适的目标。最后,要正确地评价自己,即多纵向比,少横向比,全面地评价自己,避免"一叶障目,不见泰山"。

2.学会人际交往,增强自信

良好的人际关系可以帮助我们更好地适应环境,还可以增加我们的自信心。我们要学会主动与人交往,并运用一些人际交往的技巧,从而与同学尽快建立起良好的人际关系。

3.合理安排时间,提高睡眠质量,培养良好的学习习惯

学科增多,作业增多,我们一定要合理安排时间,提高学习效率。保证休息时间,建议中午睡半小时左右;利用好零碎时间,如课间时间;学会制订学习计划,最大效率地利用好时间。

4.合理地宣泄自己,缓解压力

宣泄是人类心灵的安全阀,是调整心态的方法之一。我们可以通过以下几种方式来积极地缓解压力,如锻炼、写日记、宣泄室发泄、向人倾诉、睡觉、整理房间等。

二、处理人际关系

学生来信节选:

老师,我心情烦透了!……

第一次住校,内心很抗拒,我不愿意和外人住一起……宿舍人多,不安静,没有独立私密空间;他们的生活习惯我也不喜欢,自己忍无可忍说了出来,却遭到室友孤立……

我实在不想回宿舍了,我该怎么办啊……

那么,我们究竟怎样处理宿舍人际关系呢？在回答这个问题之前,我们要先清楚宿舍人际关系不良产生的原因。

(一)人际关系不良产生的原因

1.性格不同

如宿舍里有的同学内向,平时喜欢独来独往,上课、吃饭都不会跟室友一起;有的同学特别喜欢热闹,不喜欢独来独往;还有的同学性格比较孤僻,意见不合的时候,可以连续好几天不说话。

2. 生活习惯差异大

来自不同家庭,生活习惯差异很大,如有的同学做事风风火火,动静大效率高;有的同学则小心谨慎,生怕动静太大被大家"关注"。这两种类型的同学住在一个宿舍,难免会发生小冲突。例如,有的同学有早起的习惯,很早起床,结果动静有点大,把室友吵醒了,室友心里肯定不舒服,因此就会嘟囔几句,结果就是一场口角之争。这种因为生活习惯不同导致的冲突,高中各阶段都会存在。

3. 交流沟通少

遇到问题、发生矛盾时,同学们很少沟通,以致矛盾和问题越积越多,最后就会不可协调。

(二)建立良好人际关系的策略

1. 策略一:用积极的视角看待室友

金无足赤,人无完人。每个人都有自己的不足之处,都有缺点和需要改进的地方。因此,我们在看待室友的时候,要学会去接受其身上的不足,同时也要看到他们身上的优点。如果我们多看到对方身上的优点,那么我们就会对室友做积极的评价,增加对室友的好感,宿舍的人际关系自然也就会更加和谐。所以,用积极的视角看待你的室友,你会发现和这么多不错的室友同处一室其实是一件很幸运的事情。

2. 策略二:学会主动承认错误

几个人在宿舍朝夕相处,难免会因为一些小事,发生磕磕碰碰。如果发生小矛盾、小冲突后,都觉得自己有理,是对方的错误,那么要搞好宿舍人际关系就难上加难了。因此,当与室友发生冲突矛盾时,主动承认错误,更能获得良好的宿舍人际关系。因为当你向对方承认错误时,对方会感受到你的宽容和大度,反而觉得自己不好意思,自然也不能再和你计较,你们的矛盾也就解决了。当然,主动承认错误是有前提的,那就是事后要自我冷静与反省。

3. 策略三:主动沟通,求同存异

很多时候,宿舍人际关系的不理想是因为我们缺乏必要的沟通。因此,作为宿舍的一员,我们要学会积极地与室友沟通,说出自己的想法,表达自己的情绪,让对方知道自己的需求,同时也要积极地倾听对方的想法和需求。这样你就明白了彼此之间的差异,从而发现你们的共同语言,实现求同存异,你和室友的冲突就会大大减少,继而和室友的关系也就越来越融洽。

第三节 点亮你生命的"火花"

为了提高学生对生命的关注意识,帮助学生认识到生命的珍贵,体验生命的奥妙,赋予生命积极的能量,学校开展主题为"点亮你生命的火花"的心理健康活动。让学生在活动中体验生命的美妙,在体验中绽放生命的火花。

一、电影《心灵奇旅》的"火花"

在电影《心灵奇旅》中有两个同样在寻找人生(生命)意义的人。一位是中学音乐老师乔伊·高纳,梦想成为爵士钢琴家("一个不想死的灵魂"),一位是灵魂"二十二"(一个"不想活下去的厌世灵魂")。这位中学音乐老师偶然获得了梦寐以求的机会——在纽约最好的爵士俱乐部演奏。但一个小意外把他从纽约的街道带到了一个奇幻的地方"生之来处"。在那里,灵魂们将获得心灵辅导,找到专属于自己的"生命火花",才能通往地球。如有的灵魂点燃了航空火箭,有的灵魂踢了足球,有的灵魂演奏了乐器,这些都成为他们的火花,开启前往地球的通行证。决心要回到地球生活的乔伊认识了一个厌世的灵魂"二十二","二十二"一直找不到自己对于人类生活的兴趣,或者说"火花"。

乔伊和灵魂"二十二"在经历无数的历险、波折之后,到最后他们意识到,他们原先的想法并没有带给他们快乐。反而是他们在经历的过程中,不经意间看到的那一片从树上缓缓落在手中的树叶,记忆中那一个秋日下午骑车于林间时刮过耳边的清冽的微风,饥肠辘辘时那一口热乎乎香喷喷的披萨,与好友聊他的家庭与梦想时的感动。所有生命中不经意、不起眼但却在那一个瞬间能打动自己,让自己觉得无比平静的时刻,才正是生命的真正意义。

二、生命冥想

播放舒缓轻柔的背景音乐并通过指导语引导学生进入一个放松的状态。

冥想指导语:请大家选择一个最舒适的坐姿,轻轻地闭上双眼,随着这美妙的旋律,逐渐放慢我们呼吸的节奏,放松我们的面部表情,舒展眉心。

跟随我的声音——

我们来到了一个美妙的世界

我仿佛看见了绿树和红玫瑰

我看见他们为你我而开放

我仿佛看见了蓝天和白云

明亮而幸运的白天,深邃而深沉的夜晚

天上彩虹的颜色如此美丽

映照在过往人们的脸上

我看见朋友们握手问好,点头微笑

他们在说:我爱你!

我听见了婴儿咯咯的笑声,他们在一点一点长大

我不禁想到,这是一个多么美妙的世界!

…………

此刻,让我们抛开所有的紧张、烦恼和不安,让我们的心变得平静、祥和。想象自己躺在一个舒服、柔软的草坪上,仰望着湛蓝无比的天空。想一想:生命对你来说意味着什么?

请你带着此刻的感受和思绪回到教室里来,慢慢睁开双眼,感受一下明亮的世界,试着把刚刚看到的景象呈现在纸面上。

三、生命中的“火花”

(一)回忆生命中的“火花”时刻

选择你认为能代表生命“火花”的形象,如《心灵奇旅》里的落叶、披萨、糖果(不限数量);添加那些你认为充满生命“火花”的美好(或趣味)元素(不限数量);合作绘制一幅有故事线的生命“火花”时刻图。

绘制并撰写完故事后,全班各小组分别推选一人上台分享绘制的生命“火花”及背后所代表的生命故事。

　　小结:每个人都有自己生命的"火花","火花"不是目标,当你认真生活的那一刻,"火花"就已经点亮了。每一次点亮人生最美好的体验,我们要对生命充满好奇,对生活充满热爱! 抬头看看广阔湛蓝的天空,秋天黄叶盘旋轻轻落下,阳光照在身上暖洋洋的,披萨的香味慢慢进入味蕾,陌生人对你投来善意的一抹微笑……如同希腊大诗人卡瓦菲在其诗歌中所描述的:愉悦众多的夏日清晨,当你第一次进港来到腓尼基人的贸易站时,眼睛所见的都是欢乐、愉悦,因为那些美好的珍珠、珊瑚、玛瑙、黑檀木,充斥了你的感官,带给你无限的愉悦。所以,这些简简单单的生活点滴就是"火花"本身。

(二)点亮生命"火花"的能量

　　在纸的中心圆内用彩色笔按照以下三个顺序与思路或涂,或画,或写出你生命中蕴藏的如"火花"一般的能量。

　　最外圈("我有")拥有的外界支持和资源:重要他人,所处环境。

　　中间圈("我是")探索自己的内在力量:个人优势,态度及信念。

　　最内圈("我能")发现和培养自己的问题解决能力,如何更好地前进。

生命"火花"能量圈

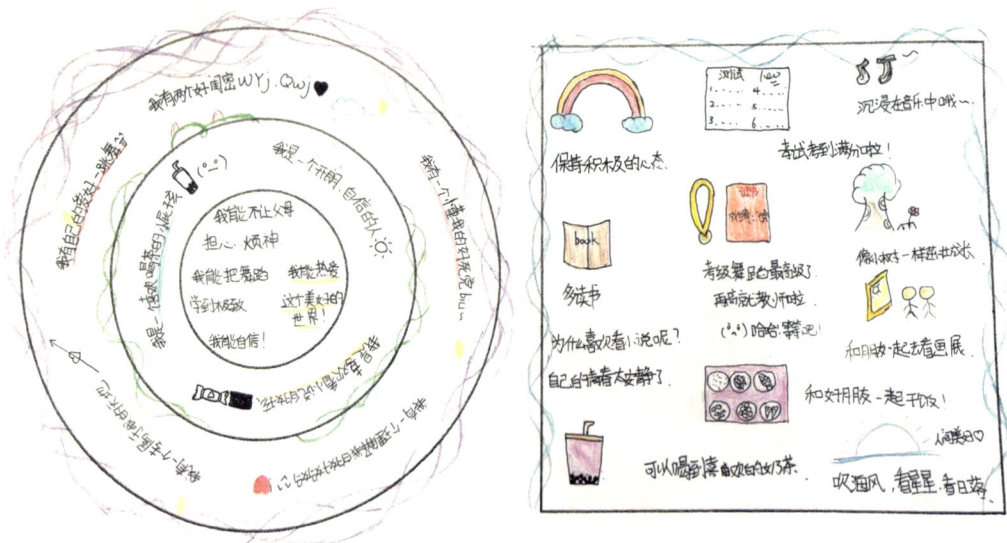

四、总结

如果我们是鱼,想要游到海洋中去……在去往海洋的途中,我们是不是也可以看看一路的美丽:光滑的岩石、精致的贝壳、摇曳的水藻、嬉戏的小鱼儿……是到达海洋比较重要还是去往海洋的路途比较重要? 如果心里装有海洋之梦,但是就是去不了海洋,那鱼儿还值得一直游吗?

也许我们不用费力去寻找生命的"火花",你可能已经拥有了你生命的"火花"。它可能是蓝天暖阳,或是落叶萌宠,无论是人间美味,还是母亲的唠叨……

现在请试着拥有美好的一天,选择某一天专门做你喜欢做的事,自己宠爱自己。先把这一天中你准备做的事用纸笔写下来,不要让生活中的琐事干扰你,只管照着拟定的计划去做……

第四节　考前心理减压

高考前夕,一部分同学开始产生焦虑、紧张、担忧等消极的情绪体验。面对这些长期积压在我们内心的负面情绪,如果不能及时调节,那么不仅会影响我们的身心健康,也会阻碍我们的复习进程。因此,开展考前心理减压辅导是十分必要的。

一、调整状态——强化信心

自信心,简单而言是指一个人对自己的积极感受。很多同学对备战高考的状态缺少了一份自我信任感,很大一部分原因在于习得性无助。举例而言,如果一个同学总是在学习中面对测试成绩的不理想、老师的不满意以及自己的失望,那么长此以往,他就会放弃努力,安于现状,甚至会因此对自我产生怀疑,觉得自己"这也不行,那也不行",无可救药。而事实上,此时此刻的我们并不是真的不行,而是陷入了"习得性无助"的心理状态中!

这种心理,会使我们的归因方式发生改变。例如,当某人经历了失败或挫折时,他认为失败是由于自己这次准备不充分。而习得性无助的人,会把失败的原因归结为如学习成绩不理想是因为自己智力不够,觉得自己永远都学不会、永远也考不好等。从而放弃继续尝试的勇气和信心,最终破罐子破摔。请不要被曾经的失败吓倒。你是谁不那么重要,你如何看待自己才最重要。

二、如何树立信心

(一)从行为上:活力起来

心理学上有种理论,叫具身认知理论:生理体验与心理状态之间有着强烈的联系。简而言之,就是人的外部行为可能会影响我们的心理状态。

曾经有这么一个实验,心理学家把被试者随机地分成两组:一组是用嘴唇含住一支笔,不让笔碰到牙齿;另一组是用牙齿咬住这支笔,不让嘴唇碰到这支笔。心理学家给被试者看一些卡通图片,并让他们对卡通图片的好笑程度进行打分。很显然,不论是用嘴唇含住笔,还是用牙齿咬住笔,与受试者判断这些卡通图片是否滑稽好笑,没有任何关系。但实验结果表明,那些用牙齿咬住笔的人,会认为这些卡通图片更好笑、有趣;而那些用嘴唇含住笔的人,会认为这些卡通图片完全没有笑点,很无聊。

这是为什么呢? 当你用嘴唇去含住一支笔时,嘴唇抿起来的,是生气、不高兴的表情;当你用牙齿咬住笔的时候,是一个微笑的表情,因此你会认为这些卡通图片更好笑。这在心理学里,被称为“具身认知”,也就是我们可以用生理体验来“激活”心理感觉。

因此,无论你是精神状态不佳,学习劲头不足,还是情绪降落到谷底,请先调整一下我们的肢体行为,如伸展姿势,抬头挺胸,腰背打直,咧嘴微笑,相信你的活力会增加不少。

(二)心理上:积极的暗示,自我鼓励

自证预言是一种在心理学上常见的症状,意指人会不自觉地按已知的预言来行事,最终令预言发生。例如,若你自认不是读书的材料,那即使有时间也不会用来温习,因为你认为读了也不会懂,结果考试一塌糊涂,然后你对自己说:“果然我

不是一个读书的材料！"

通俗点说就是"我们越相信什么,就越容易发生什么"。那么,为什么会这样呢? 这主要是因为人们的自我暗示会潜移默化地影响自己的行为,如自认不是读书的材料,这种思维影响着我们的行为,我们可能就真的敷衍了事,完全没有发挥自己的潜能,最后验证了自己的想法。

从前有位老人,总觉得自己患上了绝症,头痛腿酸,看了许多医生后都没发现问题所在。他很失落,觉得自己快要死了。后来有个朋友介绍一个名医,医生就给他开了副药。他照着医生的要求每天一粒,慢慢地,没几天头不痛了,腿也不酸了。老人很感谢医生,就去问医生那是什么神药,医生回答,那只是裹着糖衣的面粉。其实老人得的只是心病,身体是很健康的。

这就是心理学上著名的"安慰剂效应"。那么老人的病是被这个:"裹着糖衣的面粉"给治好的,还是被自己的暗示给治好的呢? 很明显,起治疗作用的是自己的暗示。从这个故事,我们就可以知道自我暗示对我们会产生巨大影响,那么同学们就要常给自己积极的心理暗示,如:"我就是宇宙无敌强,棒棒哒!""我可以做到,加油!"并且相信自己肯定能够做到,因为你本来就充满无限潜能。

（三）自信心训练

请在一张纸上写下自己成功的经历（比赛获奖、挑战自我等）、自己的长处和力量（优点轰炸）,以及3句鼓励自己的话。写完以后先观察、体会一下自己的感受和情绪变化,接着再继续听课。对于日常的自信心训练,大家也可以通过想象成功或者爽朗的大笑来提高对自我的积极感受。

焦虑水平过高,会影响发挥,干扰记忆和思维活动的顺利进行,使学习效率降低;焦虑水平过低,则会无压力、无动力。只有保持中等、适度的考试焦虑才最有利于发挥正常水平。

如果我们压力过大,焦虑水平过高,产生了消极情绪,影响复习状态了,应该怎么办呢?

第一步:接纳消极情绪。只要是正常人,就一定会有消极情绪,有消极情绪是正常的,不要抗拒,要接纳自己的消极情绪。如果我们不接纳,一味地压制消极情绪就会让情绪更糟糕,让消极更消极。而当我们接纳它的时候,心情就会平静下来,之后作出的反应才会更加理性。

第二步:改变认知。面对同样的新闻,为什么有些人紧张,有些人则会很平静,遇到的事件本身并不会让我们焦虑,我们认为这件事不好办了才会让我们产生焦虑。

拓展阅读:情绪ABC理论(积极心理学)

情绪ABC理论中:A表示诱发性事件;B表示个体针对此诱发性事件产生的一些信念,即对这件事的一些看法、解释;C表示自己产生的情绪和行为的结果。该理论认为,导致个体情绪困扰的不是诱发事件本身,而是自己对事情的不合理认知或信念。

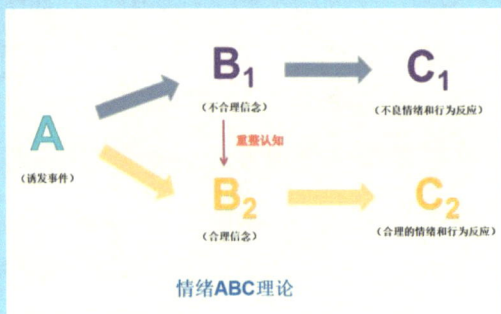

情绪ABC理论

事件A代表这次考试结果出来了,考试成绩很不理想。不合理信念B_1:自己真的太笨了,怎么也学不好考不好了。

不良的情绪和行为反应:失落、消极的情绪,甚至出现自卑,继而产生不想学习的想法和行动。接受不可改变的,其实就是这次考试结果;改变可以改变的,就是这里的B信念。当我们发现自己产生了不合理信念时,就要重整自己的认知,促使自己从多角度去思考问题,如这个例子中,我们将B_1转换成B_2可以这样思考。

合理信念B_2:这次没考好,是因为自己准备不充分以及有些粗心大意了。合理的情绪和行为反应:虽然感觉很可惜,有点失望,但下次一定会加倍努力,提醒自己注意作答细心些。

第三步:落实具体行动。我们可以有意识地做一些带给自己积极情绪的事。转移注意力:通过听听轻音乐、阅读、运动等来调整情绪状态。宣泄负面情绪:说出来、写下来,一方面可以通过歇斯底里大吼大叫、倾诉等来宣泄情绪,释放压力;另一方面也可以将让自己情绪压抑的事情写下来,然后用笔叉掉,或者撕碎扔掉,都能在一定程度上帮助缓解压力。

消极情绪不可怕,大大小小的、情况各异的每个人都会遇到,关键是要有意识地、主动地采取一些适合自己的减压方式,走出负面情绪。希望同学们能够找到适合自己的减压方法,管理好自己的情绪,自信地继续向着梦想的前方努力。

第五节 "5·25"心理健康节

为了关爱学生心灵成长,为学生的身心健康保驾护航,每年的5月25日心理健康日到来之际,学校举行一年一度的心理健康节活动。活动的主题是"放飞心灵,快乐成长",其形式包括升旗仪式、主题班会、户外心理拓展活动等。

一、升旗仪式

为切实加强学校心理健康教育工作,让师生关注自身心理健康,树立正确的心理健康观念,以全面推动学校健康教育工作发展,形成校本心理健康教育特色,营造健康、和谐、阳光的校园育人氛围,提高全校师生的心理健康水平,学校举行以"放飞心灵 快乐成长"为主题的升旗仪式。通过升旗仪式,学生们认识到要用积极乐观的态度创造丰富充实的人生,只有具备良好的心理素质才能为社会、为国家奉献自己的聪明才智。

二、心理健康主题班会课

学校以班级为单位召开"关爱心灵,守护成长"心理健康知识主题班会。各班班主任结合课件视频等素材,针对班级学生中存在的敏感、易怒、自闭、烦躁、心理脆弱、情绪波动大等心理健康问题,细致地剖析成因,并结合具体案例,为同学们讲解有效的心理调适方法。同学们通过回顾自己受挫的经历和现在存在的心理问题,认识到成长过程一定会遭遇到挫折的事实,面对和接纳现实,积极调整心态,重新点燃学习和生活的信心方是解决之道。

三、户外心理拓展活动

户外心理拓展活动是在运动场举行盲行游戏,即两个同学为搭档,一个戴上眼罩扮演盲人,一个扮演聋哑人负责指引,需要通过障碍,两人全程不能有任何语言交流。同学们完成了第一次盲行"任务"后,交换角色,再走一次,可以增强一下彼此之间的信任。盲行活动首先是丧失体验,让大家学会珍惜自己,其次是希望通过活动让大家学会互相帮助,最后是锻炼大家人际交往的能力,学会设身处地为他人着想。

四、心理校园宣传

心理健康月期间,学校广播站的播音员在老师的指导下,推出"心灵之声"心理健康教育主题栏目。栏目在固定时间播放关于心理方面的小知识、小测试、歌曲等。通过广播宣传活动普及心理健康知识,进一步让学生明白什么是心理健康,心理健康的标准和特征,明确心理健康的重要性以及如何关注自身的心理健康。

五、心理曼陀罗绘画

曼陀罗绘画疗法是瑞士心理学家荣格探索发现的一种心灵疗愈方式,学生在给曼陀罗涂色或绘制曼陀罗的过程中,可以释放压力、舒缓情绪,探索自我,激活内在力量。绘画过程中,伴随着轻柔的音乐,学生们逐渐沉静下来,忠于自己的内心感受,拿起不同颜色的画笔自由涂色,笔尖在纸上涂抹的时刻,内心的焦虑紧张感会随着笔尖的自由流淌宣泄出来。曼陀罗绘画活动既提升了学生的自我觉察力,又引导学生培养了自尊自信、理性平和、积极向上的心态。

六、团体沙盘辅导

在学校心理健康中心老师的带领下,学生在学校沙盘心理辅导室共同体验团体沙盘的魅力。经过数轮次的沙具摆放,5名参与者共同制作完成一个沙盘作品,并为沙盘作品取名"和谐动物园"。最后,老师根据参与者在创造沙盘中的各种表现,以及选择时的想法、目的,与参与者进行交流,启发参与者与自己潜意识沟通,进行自我觉察、感悟与成长。通过沙盘体验活动,学生不仅体会到沙盘游戏的乐趣,更学会理解别人和反思自己,从而实现自我体悟和成长。

七、心理健康手抄报和黑板报

为丰富学生校园文化生活,提升学生心理健康素养,引导学生认识心理健康的重要性,学校开展心理手抄报和黑板报评比活动。各班学生拿出主题鲜明、内容充实、各显风采的作品,充分体现学生积极向上的精神风貌,从而营造了关注心理、重视心理的校园氛围。

八、培训活动

为提高学校教师和家长的心育能力和水平,加强班主任与学生、家长和孩子之间的心灵交流,助力学生健康成长,学校邀请心理健康专家开展心育主题讲座为全体教师和家长普及心理健康知识。

九、心理调适讲座

为使同学们更好调适心理,缓解考试焦虑情绪,及时调整复习状态,以自信乐观的心态备战中、高考,学校每年5月举办毕业班学生考前心理讲座,帮助学生考前心理赋能。讲座从学生实际出发,立足于学生的心理发展需求,为即将中、高考的学生考前心理做了很好的辅导调节,既有效地缓解了学生紧张的心理,又帮助他们掌握了有效的心理调节方法。

第三章
珍爱生命

生命很珍贵，没有任何东西能与之相比。它对每一个人都是平等的，每个人都只有一次机会，一旦失去，就不会再有第二次了。正因为如此，安全教育工作在学校教育、家庭教育、社会教育中日渐突出，越来越被人们重视。作为学校，加强生命教育要重于知识教育。我校历来重视安全教、育，每年都会根据季节和实际需要开展形式多样且富有实效的安全教育，如防溺水教育、交通安全教育、传染病预防教育、拒绝毒品教育、逃生应急教育等。

第一节　防溺水教育

夏季来临，雨水增多，是容易发生溺水事件的高峰期，每年暑假，全国各地都会发生学生溺水事故。为有效防止学生溺水事故的发生，增强学生防溺水安全意识和自防自救的能力，我校开展形式多样的防溺水教育活动，增强学生安全意识，提高自防、自护、自救的能力。

一、防溺水知识

1.什么是溺水

溺水是指大量水被吸入肺部,引起人体缺氧窒息的危急病症。溺水者一般表现面色青紫肿胀,眼球结膜充血,口鼻内充满泡沫、泥沙等杂物。部分溺水者因大量喝水入胃,出现上腹膨胀,多数溺水者会四肢发凉,意识丧失,重者心跳、呼吸停止。人在溺水后,2分钟会丧失意识,4到6分钟将承受不可逆转的伤害。

2.防溺水

(1)严禁学生私自下水游泳,特别是中小学生如下水游泳必须有大人的陪同并携带好救生圈。不要私自在河边、湖边、江边、水库边、水沟边、池塘边玩耍和追赶,以防滑入水中。

(2)严禁中小学生私自外出钓鱼,因为钓鱼蹲在水边,水边的泥土、沙石长期被水浸泡,容易变得松散,有些河边长年累月被水浸泡还长了一层苔藓,一踩上去就容易滑入水中。

(3)到公园划船或乘坐船时必须要坐稳坐好,不要在船上乱跑,或在船舷边洗手、洗脚,尤其是乘坐小船时不要摇晃,也不能超重,以免小船掀翻或下沉。没有大人陪同或携带救生圈的情况下,严禁私自结伙去划船。在坐船时,一旦遇到特殊情况,一定要保持镇静,听从船上工作人员的指挥,不能轻率跳水。遇到大风大雨、大浪或大雾的天气,最好不要坐船,也不要在船上玩耍。

(4)如果出现有人溺水,不要贸然下水营救。如果不慎滑落水中,应吸足气,拍打着水,大声的呼救,岸上的人应马上呼喊大人救援,并就近寻找长树枝、竹子、草藤等物品,及时抛向落水的人,让其抓住。如果没有大人来救援,岸上的人应一边呼喊,一边脱掉衣服、皮带把它们接起来抛向落水的人。

3.游泳池游泳安全常识

(1)池边不可奔跑或追逐,以免滑倒受伤。池边不可任意推人下水,以免撞到他人或撞到池边受伤。池边严禁跳水,因水浅,易造成颈椎受伤而终身瘫痪。

(2)戏水时,不可将他人压入水中不放,以免因呛水而窒息。

(3)水中活动时,若有寒意,或有抽筋现象时,应登岸休息。若在水中发现自己体力不足,无法游回池边时,应立即举手求救,并大声呼叫"救命",等待救援。

(4)若发现有人溺水时,即刻发出"有人溺水"呼救或打110请求支持,如果自己没有学过水上救生,不可贸然下水施救。

二、水中自救与救生

1.水中自救

发生溺水事件时,必须镇定冷静,了解自己所处环境,并利用本身浮力或身边物品来自救求生。水中自救的基本原则为"保持体力,即以最少体力,在水中维持最长时间",而要达此要求,必须缓和呼吸频率,放松肌肉,并减缓动作。

2.发现溺水的应急措施

(1)遇到有人意外溺水时要沉着镇静,不要惊慌,应当一边呼唤他人相助,一边设法自救。

(2)游泳发生抽筋时,如果离岸很近,应立即出水,到岸上进行按摩;如果离岸较远,可以采取仰游姿势,仰浮在水面上尽量对抽筋的肢体进行牵引、按摩,以求缓解;如果自行救治不见效,应尽量利用未抽筋的肢体划水靠岸。

(3)游泳遇到水草,应以仰泳的姿势从原路游回。万一被水草缠住,不要乱蹬,应仰浮在水面上,一手划水,一手解开水草,然后仰泳从原路游回。

（4）游泳时陷入漩涡,可以吸气后潜入水下,并用力向外游,待游出漩涡中心再浮出水面。

（5）游泳时如果出现体力不支、过度疲劳的情况,应停止游动,仰浮在水面上恢复体力,待体力恢复后及时返回岸上。

（6）如果看见有人溺水,要大声呼救。不熟练救生技术者,不要妄自赴救。

第二节　交通安全教育

据世界卫生组织统计,每年有18万人以上的15岁以下儿童死于道路交通事故,数十万的儿童致残。交通事故在青少年发生意外伤害死亡原因中占首位。调查交通事故档案发现,涉及儿童的交通事故,因不遵守交通规则而发生的车祸占大多数。例如,低龄孩子穿越马路时没有成年人带领,不走人行横道,骑自行车技术不熟练或逆行,在公路旁玩耍,红灯亮时横过马路,骑自行车带人,在机动车道上骑自行车,12岁以下儿童骑自行车上马路,骑车下坡不减速、猛拐弯等。

一、交通安全教育的重要性

中学生交通活动的路线虽不复杂,但是每日数趟往返于学校和家庭之间的街道和公路,是参与交通活动比较频繁的群体。中学生上学和放学时,是车辆行人的高峰期,机动车流、自行车流、人流和学生群迅速交汇,交通环境非常复杂。如果不按交通规则通行极易诱发交通事故。

同时，中学生自身的主管缺陷也易引发交通事故。一是活泼好动，自控力差。中学生精力充沛，一举一动都充满生机和活力。这种活泼好动的生理特点，易使他们在通行公路和街道时，或相追逐嬉戏，或蹦蹦跳跳，或在马路上踢足球、溜旱冰、踩滑板。行走路线变化无常，不顾前后左右，不理车辆行人，交通行为极具突然性，因此发生交通事故的概率很高。

二是好奇心强，喜欢冒险。中学生能力不够成熟，参与社会活动时辨别是非能力和应变能力较差。这些心理特点，易产生冲动和冒险行为，如攀登险径、穿越隔离障碍、与车辆赛跑、骑车追逐嬉闹撒把等行为，极易诱发交通事故。

三是法治观念和安全意识淡薄。中学生处在启蒙教育和基础教育阶段，知识面窄，缺少对交通法规和交通安全知识的系统学习和了解，不懂得机动车辆的行驶特点，不知道自己违反交通规则的危险性，没有足够的预料。在交通活动中往往充满着幼稚和自信，想跑就跑、想走就走、想过马路就立即横穿，令行驶的车辆猝不及防。

中学生是交通活动中非常危险的一个群体，因此加强中学生交通安全教育，提高中学生的交通安全意识具有重要的意义。加强中学生的交通安全教育工作，尤其是公安交通管理部门要结合交通安全宣传工作，突出抓好中学生交通安全教育工作。通过交通安全课、交通安全报告会、法制教育等交通安全教育形式，增强学生交通安全意识，提高自我保护能力。

二、交通安全知识

1.步行安全知识

（1）步行时，走人行道，靠右侧行走。

（2）横穿马路，要走人行横道。行走时，先看左侧车辆，后看右侧车辆。

（3）设有交通信号灯的人行横道，绿灯亮时可通行，红灯亮时禁止通行。

（4）设有自助式交通信号灯的人行横道，要先按人行横道使用开关，等绿灯亮、机动车停止后，再通过。红灯亮或显示"等待"信号时，禁止通过。

（5）设有过街天桥或地下通道的区域，不横穿马路。

（6）无人行横道与通过设施的区域，横穿马路时，要在确认安全后，再通过。

（7）不在机动车道、非机动车道上打闹、奔跑。

（8）不跨越各种交通护栏、护网与隔离带。

（9）路面有雪或结冰时，防止滑倒，造成摔伤。

（10）上学路上、校园内禁止穿暴走鞋与飞轮鞋。

2.乘车安全知识

（1）所乘车辆靠站停止前，不要向车门方向涌动。车辆停稳后，先下后上，按顺序上下车。

（2）上车后，扶好或坐好，不故意拥挤。

（3）乘车过程中，不把身体的任何部位伸向车外，不向车外抛撒物品。

（4）乘车过程中，保管好自己的财物。

（5）不在机动车道上等候车辆或者招呼营运汽车。

（6）不携带易燃、易爆、强腐蚀性等违禁物品乘车。

（7）所乘车辆发生交通事故时，要听从司机指挥。

3.交通事故逃生

（1）发生交通事故自己被困在所乘车辆中时，可击碎车窗玻璃逃生。

（2）从所乘车辆中逃出后，要远离事故发生地点，防止因车辆着火、爆炸而造成的伤害。

（3）逃生后要迅速报警或拦截车辆救助其他未逃生人员。

（4）所乘车辆着火时，应先防止吸入烟气窒息，再设法逃生。

4.学会报警

（1）要熟记并正确使用各种求助与报警电话号码（110、120、119、122）。

（2）遇到意外事故、突发事件时，可拨打电话求助或报警。

（3）拨打电话求助或报警时，要根据所报警种要求，讲清楚所求助或报警的内容。

（4）报警时，要报出自己的姓名、住址或所在学校及所使用的电话号码。

第三节　预防传染病

传染病是由各种病原体引起的能在人与人、动物与动物或人与动物之间相互传播的一类疾病。病原体中大部分是微生物，小部分为寄生虫。有些传染病，防疫部门必须及时掌握其发病情况，采取对策，因此发现后应按规定时间及时向当地防疫部门报告。中国的法定传染病有甲、乙、丙3类，共40种。

一、常见的传染病种类

常见的传染病包括流行性感冒、肺结核、麻疹、百日咳、细菌性痢疾、病毒性肝炎、疟疾、流行性乙型脑炎、丝虫病、血吸虫病、沙眼、狂犬病、淋病等。

二、传染病的传播

传染病传播是病原体从已感染者体内排出，经过一定的传播途径，传入易感者而形成新的传染的全部过程。传染病得以在某一人群中发生和传播,必须具备传染源、传播途径和易感人群三个基本环节。传染病传播的六种主要途径:呼吸道传播、消化道传播、接触传播、虫媒传播、血液或体液传播、母婴传播。例如,呼吸道传播是病原体从传染源体内排出后,存在于空气中的飞沫或气溶胶中,通过鼻腔或口腔吸入后造成感染;消化道传播是病原体从传染源体内排出后,污染食物、水源、餐具等,人们在进食、饮水时经口腔进入胃肠道造成感染。

三、如何预防传染病

1.教室要每天通风、保持空气流动

定时打开门窗自然通风,可有效降低室内空气中微生物的数量,改善室内空气质量,调节居室微小气候。这是最简单、行之有效的室内空气消毒方法。

2.接种疫苗

目前,常见的传染病一般都有疫苗。进行计划性人工自动免疫是预防各类传染病发生的主要环节,预防性疫苗是阻击传染病发生的最佳积极手段。

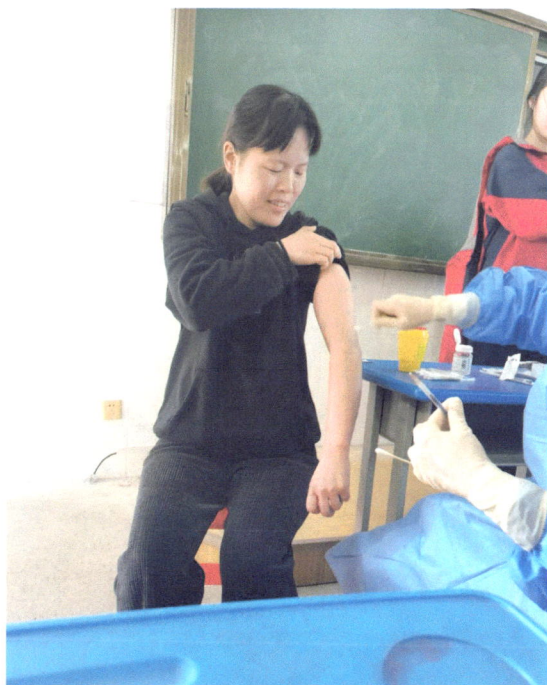

3.养成良好的卫生习惯

学生应要保持学习、生活场所的卫生,不要随意堆放垃圾。饭前便后,以及外出归来一

定要按规定程序洗手,打喷嚏、咳嗽和清洁鼻子应用卫生纸掩盖,用过的卫生纸不要随地乱扔,勤换、勤洗、勤晒衣服、被褥,不随地吐痰,个人卫生用品切勿混用。

4.加强锻炼,增强免疫力

学生应积极参加体育锻炼,多到郊外、户外呼吸新鲜空气,每天锻炼能使身体气血畅通,筋骨舒展,体质增强。在锻炼的时候,必须注意气候变化,要避开晨雾、风沙,合理安排运动量,身体状况的自我监护等,以免对身体造成不利影响。

5.保持生活有规律

学生应生活有规律,保持充分的睡眠,这对提高自身的抵抗力相当重要。要合理安排好作息,每天的睡眠时间不应少于8个小时。做到生活有规律,劳逸结合,无论学习或其他活动使身体劳累过度,必然导致抵御疾病的能力下降,容易受到病毒感染。

6.衣、食细节要注意

秋季气候多变,早晚温差较大,极易降低人体呼吸道免疫力,使得病原体极易侵入。同学们必须根据天气变化,适时增减衣服,合理安排好饮食,饮食上不宜太过辛辣,也不宜过于油腻。要减少对呼吸道的刺激,如不吸烟、不喝酒,要多饮水,摄入足够的维生素,宜多食些富含优质蛋白、糖类及微量元素的食物,如瘦肉、禽蛋、大枣、蜂蜜和新鲜蔬菜、水果等。

7.切莫讳疾忌医

由于秋季呼吸道传染病初期多有类似感冒的症状，易被忽视，因此身体有不适应告诉父母并及时就医，特别是有发热、皮疹症状，应尽早明确诊断，及时进行治疗。如有传染病的情况，应立刻隔离，绝对不可带病坚持上课。及时采取隔离措施，以免范围扩大。

第四节　拒绝毒品

在我国，毒品是指鸦片、海洛因、吗啡、大麻、可卡因，以及国家规定管制的其他能够使人形成瘾癖的麻醉药品和精神药品。目前，常见的毒品有鸦片、海洛因、吗啡、大麻、可卡因、杜冷丁、冰毒、摇头丸等。

一、毒品的危害

1.吸毒摧残身心健康

吸毒所带来的危害是多方面的，但首先危害的是吸毒者自己的身心健康。毒品对人体最大的危害是其药理作用所引起的依赖性、药物耐受性以及由此产生的严重的并发症。人对毒品的依赖性可分为两种：一是生理依赖性，即吸毒者一旦染上毒瘾，躯体便会对毒品产生一种强烈的依赖性。二是心理依赖性，毒品进入人的肌体后，作用于中枢神经系统，人体会产生一种短暂而原始的精神松弛和欣快感，出现幻觉，从而从心理上对毒品产生强烈而难以自如的心理渴求。这种生理和心理依赖性的交互作用，往往会使吸毒者身不由己地将整个身心都投向毒品而不能自拔。

2.吸毒导致家破人亡

吸毒对家庭的破坏作用是毁灭性的，其结果往往是妻离子散、家破人亡。吸毒是对家庭经济的巨大消耗和掠夺，它能使一般的家庭（即使十分富有的家庭）变得一贫如洗。

3.吸毒与违法犯罪形影不离

吸毒与违法犯罪往往形影不离。当吸毒者将侵害的目光由家庭转向社会时，他们就会变得穷凶极恶，开始铤而走险。吸毒人群往往是滋生犯罪团伙的温床。一个人开始犯罪后，他的人生之路就是走向毁灭。

二、拒绝毒品重在预防

1.沾染毒品的诱因

（1）盲目好奇。在吸毒者中，特别是在青少年吸毒者中，很多人最初只是为了盲目满足对毒品的好奇心而"偷尝禁果"的。

（2）慕虚荣、赶时髦。有相当一部分人特别是青少年，都有爱慕虚荣、追求时髦的心理倾向。为贪慕虚荣而尝试吸毒，最终必将成为"时髦"的牺牲品。

（3）追求刺激和享乐。在众多的吸毒人群中，有一部分吸毒者是由于腐朽意识作祟，受极端享乐主义的驱使，将吸毒当作是"追求刺激"和"高级享受"，为了炫耀自己的富有而吸毒。

（4）无知和轻信。在吸毒人群中，有许多人是由于无知和轻信而沾染毒品的。尤其是青少年，由于不了解毒品的危害性，轻信别人的胡言乱语，如"吸毒能使人轻松""吸毒能促进睡眠"等而沾染毒品。

（5）赌气或逆反心理。据对吸毒人群的剖析，一部分吸毒者的吸毒原因，居然是赌气或逆反心理。这一现象往往发生在夫妻之间、恋人之间，尤以女性和青少年居多。

（6）诱骗胁迫。在青少年吸毒者中，有不少人是因为交友不慎，轻信他人的谎言，被所谓的"朋友"恶意引诱，或是由于贩毒分子的蓄意教唆而上当受骗、步入毒途的。

（7）自暴自弃。在吸毒人群中，为了逃避现实或者自暴自弃而吸毒成瘾的为数不少。尤其在青少年吸毒者中，很多是遇到各种各样的不顺心而自暴自弃，甚至借"毒"消愁。

2.预防吸毒

（1）学校预防吸毒。学校认真贯彻"预防为主"的原则，在教学课程中把"禁毒教育"作为学生德育教育的重要内容常抓不懈，警钟长鸣，使学生时时处处自觉地加以防范。同时,利用禁毒日宣传活动、主题班会、长廊宣传等形式,时刻提醒学生拒绝毒品。

（2）个人预防吸毒。沾染毒品的诱因很多,预防吸毒的措施也很多,但归根结底,预防吸毒的关键还在于自己。只有从我做起,从现在做起,自律自爱,珍惜生命,远离毒品,才能够切实保护自己、不被毒品所害。青少年预防吸毒至少要做到以下10个"不要":不要因盲目猎奇而吸毒;不要因寻求刺激而吸毒;不要因贪图享受而吸毒;不要因消愁解闷而吸毒;不要轻信吸毒者的谎言;不要听信吸毒能治病的谬论;不要在吸毒场所多停留1秒钟;不要接受涉毒人员馈赠的食品(包括香烟);不要结交有吸毒行为的人;不要与贩毒人员有任何牵连。

第五节　逃生应急教育

灾难无情、生命无价,开展学生逃生应急教育,目的是提高学生的安全意识和自救自护能力,真正掌握在火灾、地震以及突发状况中迅速逃生、自救、互救的基本方法。

一、学生逃生教育的重要性

2008年的汶川地震中,安县桑枣中学的2300余名师生1分36秒安全撤离,一个中学能创下这样的奇迹,离不开他们每学期的疏散演习。当地震真正来袭时,学生们正是按照平时学校的要求进行疏散,实现了零伤亡的奇迹。由此可见,平时的应急演练绝不只是一些学生眼中的好玩,也不是一些老师口中的多此一举,是真的可以救命。因此,学校需通过逃生演练,提高学生对各类偶发事件的应急和应变能力。

二、逃生教育

1.学生公寓紧急疏散演练

学生公寓学生多,易燃品多,是学校消防安全重点部位。公寓紧急疏散演练可以提高学生在紧急情况下逃生的意识,培养学生求生技能。通过演练使学生学会报警,学会使用消防器材,学会疏散,学会扑救初期火灾,掌握消防安全知识,提高学生应急和应变能力。

2.地震疏散演练

地震一般指地壳的天然震动,同台风、暴雨、洪水、雷电等一样,是一种自然现象。全球每年发生地震约500万次,其中能感觉到的有5万多次,能造成破坏性的5级以上的地震约1000次,而有可能造成巨大灾害的7级以上地震约十几次。每年因为地震而引发的伤亡数字是十分惊人的。

　　通过地震应急演练,可以使学生掌握应急避震的正确方法,熟悉震后紧急疏散的程序和线路,确保在地震来临时,地震应急工作能快速、高效、有序地进行,从而最大限度地保护全体学生的生命安全,特别是减少不必要的非震伤害。同时,通过演练活动培养学生听从指挥、团结互助的品德,提高突发公共事件下的应急反应能力和自救互救能力。

第四章
仪式教育

　　仪式教育是德育活动的重要内容，是一种体验式德育，它具有规范性、庄严性、思想性、艺术性等特点。学校仪式教育是围绕特定主题开展的具有规范化程序的教育活动。作为课堂道德教育的延伸和拓展，对学生的思想观念、价值追求、行为方式有启迪、引导和教育的效应，是学校品德培养和人格塑造的有效途径。学校遵循学生身心特点和成长规律，精心组织开展形式多样、庄重热烈的仪式教育，如升旗仪式、退队入团仪式、成人仪式等，引导学生强化责任意识、增进爱国情感、提高文明素养，使每一个仪式都成为学生身心发展的里程碑。

第一节　升旗仪式

　　主题升旗仪式作为仪式教育常规化、固定化的活动，对学生产生积极影响，因此学校高度重视升旗仪式，增强它的吸引力、感染力、震撼力和凝聚力，使它不仅成为加强学生思想道德教育的重要途径，更成为师生展示形象、塑造校园文化的有力载体。每学期开学初，学校根据德育教育的主题，以及时事政治热点、学生兴趣，整体设计升旗仪式的主题。

一、活动意义

通过举行升旗仪式,旨在加强对全校师生的爱国主义教育、集体主义教育和革命传统教育,增强师生的爱国意识,树立集体观念,激发全体师生工作、学习的积极性和主动性。当国歌响起时,全体师生都会怀着庄严、崇敬的心情注视国旗升起,在肃穆的氛围中,感受升旗仪式为身心带来的震撼,从心底升起一种浓厚的爱国热情。

二、活动组织

升旗仪式由政教处、团委总负责;主持人为政教处主任;升旗由国旗队旗手完成;体育老师整队;年级主任和班主任带队学生。活动时间:每周一上午9:20。活动地点:学校运动场。参与人员:全体教职工及全体学生。

三、活动要求

每周一举行升国旗仪式,全体学生须穿校服整队集合参加,非特殊情况,任何人不得缺席。举行升国旗仪式时,全体师生面向国旗行注目礼,自觉肃立,精神饱满,不左顾右盼,不交头接耳,手上不拿东西,肩上不背包。

每次升旗由各班级轮流负责(或是专门的指定升旗手),并按《国旗法》规定执行。旗手、护旗要由品学兼优的同学轮流担任,并经过严格训练后才胜任升降任务。

国旗升起后,由学校领导或教师、学生代表发言,进行爱国主义教育、社会主义精神文明教育。讲话结束后,师生有秩序退场。

全校师生做到尊重和爱护国旗,对升国旗仪式态度不端正者,对损坏国旗及设施者,对当事人给予批评教育,直至追究责任。升旗班级必须保证全员参加,服装统一;出旗采用正步或齐步走;一名升旗手和两名护旗手,采用横排四名同学的方队。

四、升旗仪式

师生列队入场,指定位置集合。简短主持词开场,主持人宣布升旗仪式开始,全体师生面向国旗。

升旗仪式第一项:升国旗、奏国歌,全体师生行注目礼。广播播放《歌唱祖国》乐曲;同时,国旗队正步走向升旗台,旗手挂旗。升旗开始,全体立正、奏国歌、升国旗。全体师生行注目礼,同时旗手开始升旗,国歌乐曲结束时,国旗升至旗杆顶端。

升旗仪式第二项:学校领导或学生代表发言。

升旗仪式第三项:升旗仪式结束,主持人简单总结,各班队伍依次有序退场。

国旗下讲话稿

振兴中华乃吾辈之责

尊敬的各位老师、亲爱的同学们:

大家早上好!我今天发言的题目是《振兴中华乃吾辈之责》。"振兴中华乃吾辈之责"是我校十二月的德育教育主题,学校确定这个德育教育主题是有深刻的历史背景和深远的现实意义的。因为再过四天,就是十二月九日了。1935年12月9日,北平(北京)大中学生数千人举行了抗日救国示威游行,反对华北自治,反抗日本帝国主义,要求保全中国领土的完整,掀起全国抗日救国新高潮,这就是著名的"一二·九"运动。再过八天,也就是十二月十三日,是纪念南京大屠杀死难者国家公祭日。1937年12月13日,国民党在南京保卫战中失利,首都南京沦陷后,日本侵略者在南京及附近地区进行了惨不忍睹的大屠杀,昔日繁华的六朝古都遍染血光,顿时变成了人间地狱,30多万同胞遇难。这两个纪念日是在提醒我们,我们的国家在近现代曾饱受列强凌辱,我们的民族曾惨遭践踏,我们的人民历尽了苦难。同时,这两个纪念日也告诉我们,当我们的国家、民族和人民遭受屈辱时,我们的人民,特别是青年从来没有放弃斗争。正是他们不屈不挠的斗争,抛头颅,洒热血,才有我们今天的幸福生活。

党的二十大报告强调,教育是国之大计、党之大计。培养什么人、怎样培养人、为谁培养人是教育的根本问题。育人的根本在于立德。全面贯彻党的教育方针,落实立德树人根本任务,培养德智体美劳全面发展的社会主义建设者和接班人。这是习近平总书记对我们提出的号召,也是我们德育教育的现实意义!我们的任务就是把同学们培养成德智体美劳全面发展的社会主义建设者和接班人,和他们一起担负起振兴中华的伟大使命!

然而,振兴中华绝不仅仅是口号,振兴中华更需要我们的实际行动。我们要怎样接过前辈的接力棒,怎样为振兴中华做出不懈的努力和应有的贡献?同学们,你们思考过吗?你们准备好了吗?

今年的开学典礼上,校党总支书记、校长刘贵彦已经给大家指明了努力的方向:第一,高尚道德品行是成功之本,要热爱祖国、热爱中国共产党,尊重老师、敬爱父母、珍爱自己、友爱他人。他希望同学们有坚定的政治方向,永远跟党走,树立正确的世界观、人生观、价值观;要明大德、守公德、严私德,提高自己道德水准和文明素养。为抗击疫情,连续三个星期在校学习,绝大多数同学经受了考验,用实际行动回答了"请党放心,强国有我"的誓言!

第二,坚毅的学习品质是成功之道,要培养兴趣、掌握方法、学会坚持。孔子曰:"士不可以不弘毅,任重而道远。"校长希望同学们有坚毅的意志品质,刻苦学习科学文化知识,在学习中锻造品质,增长才干,掌握振兴中华的本领。

第三,良好行为习惯是成功之基,要养成文明用语、遵守纪律、讲究卫生、加强锻炼、热爱劳动的习惯。拿破仑说过:"播下一个行动,你将收获一种习惯;播下一种习惯,你将收获一种性格;播种一种性格,你将收获一种命运。事实表明,习惯左右了成败,习惯改变人的一生。"好习惯成就好性格,好性格成就好人生。刘校长的教导在同学之间产生了良好的反响:文明问候已经成为我们学校的主旋律,"拾金不昧"蔚然成风;讲究卫生、加强锻炼在抗击疫情中得到了完美的体现,"窗明几净"更是同学们在展现劳动成果。

老师们,同学们! 青年强,则国家强。当代中国青年生逢其时,施展才干的舞台无比广阔,实现梦想的前景无比光明。全党要把青年工作作为战略性工作来抓,用党的科学理论武装青年,用党的初心使命感召青年,做青年朋友的知心人、青年工作的热心人、青年群众的引路人。广大青年要坚定不移听党话、跟党走,怀抱梦想又脚踏实地,敢想敢为又善作善成,立志做有理想、敢担当、能吃苦、肯奋斗的新时代好青年,让青春在全面建设社会主义现代化国家的火热实践中绽放绚丽之花。

老师们,同学们! 让我们以此共勉! 我的发言结束,谢谢大家的聆听!

五、活动收获

升旗仪式是一项庄严的活动,是学校对学生进行爱国主义教育和集体主义教育的重要手段。学校的升旗仪式作为一项常规的德育活动内容,营造了良好的校园文化氛围,提升了学校的凝聚力、向心力和感召力,增强了师生的民族自豪感和使命感。

第二节 成人仪式

成人仪式教育活动是根据青少年自身成长的规律,抓住十八岁成人这一有利时机,开展的以爱国主义教育和感恩教育为主要内容的活动。该活动旨在教育学生树立成人意识,明确社会责任,培养爱国情感,以及感恩父母、师长、学校之心。

一、活动意义

成人礼是中国传统文化的瑰宝,十八岁是人生的节点,是生命的盛宴。加强成人教育,激发学生成人的神圣感、使命感,增强学生成人后的社会责任感;让学生充分意识到跨入十八岁成人行列的意义,体现学校、老师、家长对青少年即将跨入社会的关心、爱护、祝愿和期望;激发学生学习热情,立志健康成长,真正成为社会主义现代化建设的有用人才。活动主题是"成长、感恩、责任"。

二、活动组织

成人仪式教育活动由团委、政教负责活动的策划、组织、筹备。办公室负责广播、音响保障及活动过程照相、摄像,前期视频制作和后期光盘制作,以及负责座席安排,电子屏宣传。体育组协助年级组织学生及家长集合,每班学生一列,对应家长一列排开,协助报告厅学生和家长座席安排。活动时间:春季学期四月份。活动地点:体育场和大报告厅。参加人员:学校领导、全体高二年级师生和家长。

三、成人仪式

伴随着庄严的奏国歌升国旗仪式,成人礼活动拉开帷幕。升旗仪式结束后,冠戴成人帽仪式正式开始,家长和老师为同学们戴上"成人帽",同学们向老师和家长恭行"拜谢礼"。在音乐声中,学校领导、老师、家长携着学生的手臂,幸福地跨入"成人门",踏上"成人路",并将自己的青春寄语张贴在成人寄语墙上。

报告厅内,学生、家长和教师代表分别发表讲话,表达对十八岁的祝福和期待。一段《难忘的高中生活》视频,勾起同学们对在校学习和生活点滴的美好回忆。学生代表感恩成长,诵读《十八岁之歌》。学生与家长互换信件和礼物,感受彼此真诚的心声和深深的爱。学生代表带领大家进行成人礼宣誓。校长发表致辞,向将要迈入成人行列的各位同学表示祝贺,勉励大家不忘初心,成人成才,以孝心对父母,以热心对社会,以忠心对国家。

历时近两个小时的成人礼活动在师生合唱《超越梦想》的激昂歌声中落下帷幕。活动结束后,高二年级全体师生合影留念。

四、活动收获

以"成长、感恩、责任"为主题的成人仪式教育活动的成功开展,弘扬了中华民族传统美德,加强了爱国主义教育,激发了学生成人的责任感和使命感,体现学校、老师、家长对学生即将跨入社会的关心、爱护、祝愿和期望。活动对加强学生的感恩教育,培养学生的社会责任感和使命感,激发学生成人成才,发挥了重要作用。

第三节　入团仪式

入团仪式是学校的一项重要工作,每年12月都定期举行。根据《中国共产主义青年团章程》规定,新团员必须在代表团组织的团旗下举行一次严肃、庄严而富有教育意义的入团宣誓仪式。简短、庄重、热烈的宣誓仪式,使同学经历了一次心灵的洗礼,一次严肃而庄重的教育,并以此激励新团员以入团作为新的起点,坚定理想信念,牢记团的宗旨,做合格的共青团员。

一、活动目的

14岁是同学们告别童年的年龄,也是告别少先队的年龄,这也意味着他们即将迈进共青团。集体离队让他们更加深刻感受到摘下红领巾的意义,也能扩大共青团的影响力,吸收新团员。

二、活动组织

入团仪式由校团委总负责;活动时间为每年的12月份;活动地点为学校报告厅;活动对象为初二年级全体师生。

三、活动内容

活动第一项是举行少先队退队仪式。伴随着《少年先锋队队歌》的旋律,退队入团仪式正式开始,少先队员们全体起立,面向队旗唱队歌、敬队礼。怀着不舍与憧憬抚摸胸前的红领巾,轻轻地摘下仔细叠好放入红领巾珍藏袋,将童年的时光珍藏。最后,全体学生齐声呼喊"珍爱少先队,向往团组织"表达自己的真挚情感。

活动第二项是举行新团员入团宣誓仪式。出团旗,奏唱团歌《光荣啊,中国共青团》,嘹亮的歌声,彰显青春的朝气,带来奋进的力量。宣读团委批复、新团员名单、介绍共青团的相关内容。接着,校领导和班主任为新团员颁发团员证并佩戴团徽。在大队辅导员的带领下,全体新团员面向团旗,高举右拳,庄严宣誓。

　　随后,新团员和老团员代表发言,表达了对共青团的强烈热爱与向往,入团是一个崭新的起点,要继续以阳光积极的心去学习和生活,努力做一名优秀的共青团员。仪式的最后学校领导寄语勉励,脚踏实地、虚心学习,以实际行动践行入团誓词,实现人生追求,为中华民族复兴、为实现中国梦做出自己的贡献。

新团员代表发言稿

珍爱少先队　向往团组织

敬爱的老师,亲爱的同学们:

大家中午好!很荣幸能作为新团员代表站在这里发言。

转眼,红领巾已摘下,收入了纸袋,被永远的珍藏,转眼加入共青团,为共产主义事业奋斗。此刻,我正站在这个转折点上,内心充满激动地向大家分享我加入共青团员的动机,以及我未来努力的方向。

对于为什么加入共青团,我有自己的答案。先前我想加入共青团,只是觉得中国共产主义青年团这个名号响亮,觉得成为其中一员是一件可以拿去炫耀的事。但随着我对历史,对共青团认识的深入,想法也发生了改变。五四运动后,中国共产党首先于1920年8月在上海组织了社会主义共青团。此后全国各地在准备建党的同时,组织了中国共产主义青年团,到1922年5月5日,中国共产主义青年团第一次全国代表大会召开。大会通过团的纲领确定了中国共产主义青年团为中国青年无产阶级的组织,是为解放无产阶级而奋斗的组织。从此,团在党的领导下,积极团结教育青年,投入到反帝反封建的斗争中。并于1925年,更名为中国共产主义青年团。现在共青团坚决拥护中国共产党的纲领,以马克思列宁主义、毛泽东思想、邓小平理论、"三个代表"重要思想、科学发展观,习近平新时代中国特色社会主义思想为行动指南。它是广大青年的学校,是党联系青年群众的桥梁和纽带,是中国的重要社会支柱之一,也是中国共产党的助手和后备军。共青团的历史告诉我们,共青团是先进的,是值得信赖的。因此,我将共青团作为自己的信仰。对于我来说,加入团就是在追求自己的信仰。

同时,我也认识到了青年的责任。鲁迅说过,"愿中国青年都摆脱冷气,只是向上走,不必听自暴自弃者流的话。能做事的做事,能发声的发声。有一分热,发一分热,就令萤火一般,也可以在黑暗里发一点光,不必等候炬火。此后如竟没有炬火:我便是唯一的光"。他希望当时的中国青年都行动起来,履行自己作为中国青年的责任。尽管时代变迁,但中国青年仍需行动起来,这个时代不能没有我们。这份责任感促使我向往加入共青团。

　　　　加入共青团后,我将更加努力地学习自己现在的文化课知识,提升自己,突破自己。我将坚持做到坚决拥护中国共产党,拥护共青团,拥护团的纲领,遵守团的章程,执行团的决议,继续学习团的基本知识和科学文化业务知识,不断提高为人民服务的思想认识,做有文化、有理想、有道德和有纪律的好团员。我将虚心向先进青年和人民群众学习,团结同学,互相帮助,共同进步。同时,我将认真听取身边人的建议,积极改正缺点,完善自身。我将严格地认真地履行团员的义务,积极完成团交给我的任务,承担团员的责任,找到自己与团之间的平衡。"宝剑锋从磨砺出,梅花香自苦寒来。"我相信只有经过不懈的努力,才能做更好的自己,为社会做出更大的贡献。最后,我也希望大家可以和我一起做有理想、有能力、有责任感的青年,为中华民族伟大复兴尽自己的一份力。

　　　　我的演讲到此结束,谢谢大家!

四、活动收获

　　庄重而热烈的退队入团仪式,使学生经历了一次心灵的洗礼,进一步增强了学生的责任感和使命感,感受成长的意义和青春所肩负的责任。退队入团仪式活动的成功开展弘扬了爱国主义精神,加强了青少年理想信念教育和团员意识教育,引导同学们迈好"青春第一步""扣好人生第一粒扣子"。

第五章
传统佳节

中国传统节日凝结着中华民族的民族精神,有着丰富、深邃的人文内涵,是维系国家统一、民族团结、社会和谐的重要精神纽带。传统节日中,包含了大量关于热爱故土、热爱家乡、热爱民族、热爱国家的内容,闪烁着爱国主义精神的光芒。中学生正处于奠定正确的思想、信念和价值观的关键时期,对中学生进行传统文化的教育和民族精神的培养,显得尤为重要。

第一节 "我们的节日·中秋节"活动

中秋节起源于我国古代秋祀、拜月之俗。《礼记》中载有"天子春朝日,秋夕月。朝日以朝,夕月以夕"。这里的"夕月"就是拜月的意思。古代帝王有春天祭日、秋天祭月的礼制,早在《周礼》一书中,已有"中秋"一词的记载。后来贵族和文人学士也仿效起来,在中秋时节,对着天上又亮又圆一轮皓月,观赏祭拜,寄托情怀,这种习俗就这样传到民间,形成一个传统的活动。在中国的农历里,一年分为四季,每季又分为孟、仲、季三个部分,因而中秋也称仲秋。八月十五的月亮比其他几个月的满月更圆,更明亮,所以又叫做"月夕""八月节"。此夜,人们仰望天空如玉如盘的朗朗明月,焚香拜月说出心愿,祈求保佑。远在他乡的游子,也借此寄托自己对故乡和亲人的思念之情,所以中秋又称"团圆节"。南宋民间就以月饼相赠,取团圆之义。有些地方还有舞草龙、砌宝塔等活动。明清以来,中秋节的风俗更加盛行,许多地方形成了烧斗香、树中秋、点塔灯、放天灯、走月亮、舞火龙等特殊风俗。

从古至今，文人骚客为寄托思念故乡，思念亲人之情，祈盼丰收、幸福，以中秋为题，留下了众多精彩诗句名言，也成为丰富多彩、弥足珍贵的文化遗产。在中秋节来临之际，举行一系列活动，不仅让学生充分了解我们的传统节日中秋节的渊源，还要知道其中所承载的中华优秀传统文化的内涵。

一、活动意义

中秋节活动是为了弘扬中华优秀传统文化，体验传统节日的独特魅力，挖掘深厚文化内涵。通过了解家乡过中秋的风俗习惯对比其他地域，找出差异，激发学生热爱家乡、热爱祖国的情感。学校开展形式多样、内容丰富的系列活动，为学生提供展示艺术才华的舞台，培养学生健康的审美情趣，推动学生德智体美劳的全面发展。

二、活动组织

以"我们的节日·中秋节"为主题，通过书法、绘画、写作、拍摄照片、视频等多种形式庆祝中秋节，要求内容积极健康向上，具有创新性，能充分反映当代青少年奋发向上的精神风貌和健康的审美情趣。校团委、政教处总负责；活动时间为中秋节假期；活动对象为初一、高一全体学生。

三、活动准备

年级组制作精美电子班牌，介绍中秋节的来历、风俗习惯、神话故事等，营造浓厚的节日气氛。

以班级为单位，中秋节假期前将活动任务布置下去，鼓励各班学生积极参与，发挥聪明才智，创作优秀作品。班级内遴选优秀作品上报年级组，年级组再精选作品上报校团委，通过微信公众号推送精彩作品，进行成果展示。

四、活动内容

（一）照一照

中秋已至，一缕桂香；醉芬芳，月上中秋。以诗句为名拍摄中秋赏月照片、中秋团圆照片、中秋风俗照片等，记录月圆美好。

主题：片刻留月色，时光共满园

（二）写一写

书法作品（硬笔书法、软笔书法），书写内容为与中秋节相关的诗词歌赋。

1.**主题：皎洁圆月情，方正汉字意**

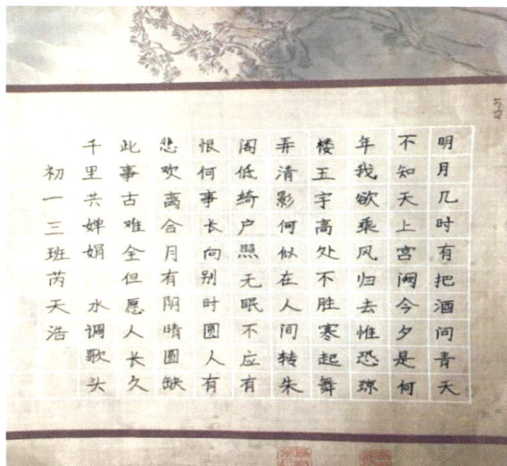

2.主题:中秋情意浓,落笔抒我怀

鹧鸪天

月过家门万事非。

同去未何不同归?

双鲤催问何时回,

昏鸦归去雁南飞。

摘星楼,细雨晞。

泪落湘竹雨沾衣。

本是天下长久时,

阴阳可曾共乐音?

(三)画一画

以中秋佳节为主题创作绘画作品(包含手抄报、水彩画、中国画等)。

主题:明月寄长情 丹青绘中秋

(四)拍一拍

拍摄视频介绍家乡的中秋节。要求:相机(或手机原相机)横屏拍摄,画面稳定清晰,声音清晰无杂音,无水印、配乐,十分钟左右。

五、活动收获

中秋活动不仅营造了浓厚的节日氛围,让学生们了解中国传统文化,激发了民族自豪感和爱国热情,也为学生们搭建了一个既能展示自我又能相互学习的平台。全体师生共赏花好月圆,一幅幅精美书画,一张张赏月照片,一段段真情文字,一帧帧动人视频……在点线面的勾勒涂抹中,在七色流光的影像画面里,表达了他们对真善美的追求,对家乡和祖国最诚挚的祝福!

第二节　"九九重阳·敬老孝亲"活动

农历九月九日,为传统的重阳节。因为古老的《易经》中把"六"定为阴数,把"九"定为阳数,九月九日,日月并阳,两九相重,故而叫重阳,也叫重九,古人认为是个值得庆贺的吉利日子,并且从很早就开始过此节日。庆祝重阳节的活动多彩浪漫,一般包括出游赏景、登高远眺、观赏菊花、遍插茱萸、吃重阳糕、饮菊花酒等。

九九重阳,因为与"久久"同音,九在单个数字中又是最大数,有长久长寿的含义,且秋季是一年收获的黄金季节,重阳佳节,寓意深远,人们对此节历来有着特殊的感情,唐诗宋词中有不少贺重阳、咏菊花的诗词佳作。

1989年,我国把每年的九月九日定为老人节,传统与现代巧妙地结合,成为尊老、敬老、爱老、助老的老年人的节日。

一、活动意义

"老吾老以及人之老",在九九重阳节通过形式多样的敬老爱老活动和良好的社会氛围的渲染,使学生知道孝敬长辈、尊敬老人是中华民族的传统美德。中学生要继承和发扬这个优良传统,使敬老爱老成为同学们的自觉行动,并由爱老、爱家推及到爱国家、爱社会,进一步树立中学生的社会责任感和历史使命感。

二、活动组织

以"九九重阳·敬老孝亲"为主题,通过班会课主题教育、感恩卡制作、采访老一辈人的故事、帮助老人做家务等多种形式庆祝重阳节,用实际行动弘扬敬老孝亲的传统美德。总负责:校团委。活动对象:非毕业班学生。活动时间:重阳节农历九月九日,为期一周。

三、活动准备

年级组制作精美电子班牌,介绍重阳节的来历、风俗习惯、故事等,营造浓厚的节日气氛。

以班级为单位,重阳节假期前将活动任务布置下去,鼓励各班学生积极参与。

四、活动内容

活动内容丰富多彩,包括一份活动倡议、一节主题班会、一次故事分享、一封感恩卡、一次家务劳动等多种形式。班主任老师发动学生积极参与,号召学生用实际行动表达浓浓敬老情。

一份活动倡议:利用晨读时间,班主任宣读《北师大芜湖附校"九九重阳·敬老孝亲"主题教育实施方案》,并向全体学生发出敬老孝亲倡议,鼓励学生从身边小事做起,发扬尊老、敬老、爱老、助老的传统美德。

一节主题班会:各班级召开重阳节主题班会,班主任精心设计内容,向学生讲述中华民族传统节日重阳节的由来、习俗以及弘扬尊老爱老美德的重要意义,充分挖掘节日内涵,激发学生们对祖国传统文化的热爱。

一次故事分享:各班利用晨读时间,邀请学生们进行故事分享。这些"故事"有的是来自学生们的亲人的故事,有的是来自邻居老人的故事,也有的是古人关于重阳节的感想、古诗词以及现代诗歌等。丰富的内容,生动的展示,让在座的每一位学生都受益匪浅。

一封感恩卡:从晨曦一抹到太阳衔山,从青春年华到两鬓斑白,长辈风风雨雨多年，为后辈操碎了心，把最好的爱都给了孩子们。学校鼓励学生们利用课余时间，制作一张精美的感恩卡，将自己想要对长辈说的祝福语或最想表达的感谢语通过贺卡形式送给长辈。

一次家务劳动：在家庭生活中践行爱老、护老、助老的美德，是我们未来一代的责任和使命。学校号召学生平常做力所能及的事情，学会一项家务小技能，为家人减一份辛劳，添一份惬意，送一份亲情，做快乐的、有责任感的家庭成员，用实际行动表达对长辈的感恩与孝心。

一次诗朗诵：学生自创小诗《谢谢您温暖过时光》，声情并茂的朗诵表达对退休老教师真挚的赞美和祝福。

五、活动收获

重阳节系列活动的举办，达到了立德树人的良好效果，进一步弘扬了中华民族的传统美德，营造了尊重长辈、感恩长辈、关爱长辈、孝敬长辈的良好氛围，让学生学会关爱与感恩，并懂得尊老敬老是基本的社会公德和道德规范。

第三节　春节劳动教育

春节是农历正月初一，俗称"过年"，是我国最隆重、最热闹的一个传统节日。春节的历史很悠久，它起源于殷商时期年头岁尾的祭神祭祖活动。按照我国农历，正月初一称元日、元辰、元正、元朔、元旦等，到了民国时期，改用公历，公历的一月一日称为元旦，把农历的一月一日叫春节。

中国人过春节有很多传统习俗。从腊月二十三起，人们就开始准备过年了。在这段时间里，家家户户要大扫除，买年货，贴窗花，挂年画，写春联，蒸年糕，做好各种食品,准备辞旧迎新。春节的前夜叫"除夕"。除夕之夜,是家人团聚的时候。一家人围坐在一起,吃一顿丰盛的年夜饭,说说笑笑,直到天亮,这叫守岁。

传统意义上的春节是指从腊月初八的腊祭或腊月二十三的祭灶,一直到正月十五,其中以除夕和正月初一为高潮。在春节这一传统节日期间,都要举行各种庆祝活动,如祭祀神佛、祭奠祖先、除旧布新、迎禧接福、祈求丰年等,活动形式丰富多彩,带有浓郁的民族特色。

一、活动意义

学校以春节这个传统节日为重要契机开展春节劳动教育,让学生在品味春节的民风、民俗中感受祖国传统文化的魅力,增强对中华优秀文化传统的认同感和自豪感,培养学生的劳动精神。

二、活动组织

总负责:政教处。活动对象:初一、初二、高一、高二年级。活动时间:寒假期间。

三、活动内容

(一)"我的生活,我做主"

活动目标:提升学生家务劳动技能,增进亲子沟通,培育感恩意识。

活动内容:协助父母打扫房间,独立整理自己的床铺、书柜和个人物品;学一道拿手菜。

活动要求:请父母用手机记录下学生整理房间的过程;学生菜肴制作完成后,父母品尝并给出评价。

（二）"我的新年，我做主"

活动目标：感受新年的喜庆氛围，体验和亲人朋友一起过年的快乐，培养学生热爱生活、珍惜生活的良好品质。

活动内容：学会剪窗花、学做折灯笼、尝试写对联、学会中国结的制作、做一份关于新年的手抄报、画一幅年画。

活动要求：学生任选其中一种活动参与，并请父母用手机记录下学生的劳动成果。

四、活动收获

春节劳动教育可以丰富传统节日的文化内涵,认识传统、尊重传统、继承传统、弘扬传统。学生同家人一起搜集春联并尝试写春联、张贴春联,写福字,或者尝试剪窗花、做灯笼、打中国结,这些活动增进了学生们对传统文化的了解,体验了传统习俗。和家人一起劳动的过程中,不仅可以使学生动手能力得到提升,而且让学生在劳动的过程中感受亲情的魅力,营造美好向上的家庭氛围,感受辞旧迎新的劳动之乐,以干净、整洁的环境迎接新年。

第六章
强身健体

体育运动不仅能够强身健体,而且处处体现德育功能。体育对陶冶情操、启迪智慧、壮美人生,对培养团结、合作、坚强、献身和友爱精神,对人的意志品质、自信心、心理调节能力以及健康生活方式的培养,都有积极的作用。学校秉承"理想的教育实现教育的理想,为学生全面而有个性的发展奠基"的办学理念,以培养学生体育兴趣,增进学生身心健康、增强学生体质,发展学生的体育核心素养为宗旨,积极推进全员体育运动。体育育人在于活动,学校除了丰富的体育课之外,每天都有阳光体育大课间,每年都有春季全员运动会和秋季田径运动会。

第一节　阳光体育大课间

为丰富学生的课余生活,磨炼学生的意志品质,形成坚持锻炼的习惯和终身体育意识,学校组织了阳光体育大课间活动。阳光体育大课间活动的主题是"走出教室,走进操场,走到阳光下,享受健康,享受快乐,享受成就感",其目的是通过合理的设计,强化队列训练,提高常态化群体性体育锻炼质量,营造积极向上,活泼健康的校园氛围。

一、活动组织

阳光体育大课间活动由政教处、体育组负责。课间活动集合整队、跑操、队形变换、啦啦操、跳绳、退场等环节由体育老师分年级负责，主要检查各年级、各班级跑操、啦啦操、跳绳活动的质量等，做好各年级大课间活动情况的记录。课间活动内容主要有跑操、啦啦操、花样跳绳、一分钟速跳。

二、活动要求

1.集合要求

全体学生集合时间必须在3分30秒以内完成，要求学生集合快、静、齐入场，到指定地点集合，站成跑操的队形；跑操至啦啦操的队形变换按照进场的要求，每位同学前后站位距离为2米，学生以右手持握跳绳进场、退场及站立。跳绳摆放听从统一口令摆放（如听到口令：放绳、起立）。跳绳摆放位置在个人前方1米处。

2.跑操要求

每个班级按每排8人站位，身高高低有序，排与排之间距离为30厘米，跑操过程中保持队伍整齐，步伐整齐，余光向中间的同学标齐，踩着音乐节奏点跑操，除喊口令外一律不准讲话。各班级领跑员一定要保持与前面班级的距离为6米，及时调整距离与速度。弯道跑步时，跑道内侧同学步伐相对较小，外道同学步伐相对较大。如果没有播放音乐，领跑的同学或班级喊口令的同学必须用口令使步伐一致，并以"一二一""左右左"的口令控制队伍步伐整齐划一。若跑操过程中有表现不认真的班级,经查实后通报批评,并在大课间活动结束后重新跑操。

3. 啦啦操要求

全体学生跟着音乐的节拍认真完成练习,做到动作准确规范、节奏统一、有力度、有活力,队形要求横竖排要对齐。若有活动中不认真,或不做的班级与个人,经核实后通报批评,大课间活动结束后该班级或个人重新做一遍。

4.跳绳要求

跳绳活动时,每一位同学必须持有跳绳,跟着音乐节奏完成跳绳活动,活动中体育教师检查各班级跳绳情况。若有活动中不认真的、不带跳绳的,经核查后通报批评,并在大课间活动结束后在学校操场重新做一遍。

5.立正要领

两脚跟靠拢并齐,两脚尖向外分开约60度;两腿挺直,小腹微收,自然挺胸;上体正直,微向前倾;两肩要平,稍向后张。两臂自然下垂,手指并拢自然微屈,拇指尖贴于食指的第二节,中指贴于裤缝;头要正,颈要直,口要闭,下颌微收,两眼向前平视。

6.退场

所有活动结束后,各班按照既定的顺序有序离场。

三、活动收获

新形式下的大课间体育活动,是一种打破传统的体育课间形式,采用多种活动形式,让学生们身体的各个部位都得到充分的锻炼,把学习带来的压力与紧张的气

氛及时宣泄出去。"阳光体育"给学生带来了运动的快乐,让他们能够在运动中找到
自信、得到满足。

第二节　全员运动会

全员运动会是指学校全员参与的运动会,是几百人同时参赛的大集体性项目。
它的比赛项目追求耳目一新、欢乐动感、富有挑战,还追求气喘吁吁、努力拼搏,从
而逐步形成"全员运动会"的独特比赛项目特点与内容体系。

一、运动会组织

运动会时间为春季学期4月,运动会地点在学校田径场。运动会以班级为单
位进行分组。全员运动会根据年级特点合理设置了200米分组赛跑、抬小猪比赛、
跳绳比快接力赛、旋风跑、坐位体前屈仰卧起坐传球比赛、齐心协力勇向前、呼啦
圈大传递、沙包掷远等趣味比赛项目。全场学生组成黄队、蓝队两支队伍展开大
比拼,角逐优胜队。

年级	班级总数	黄队	蓝队	其他班级
初一	6	1、3、5	2、4、6	
初二	6	1、3、5	2、4、6	
高一	8	1、3、5、7	2、4、6、8	
高二	8	1、3、5、7	2、4、6、8	
……	……	……	……	

二、运动会流程

1.开幕式

全校教师、工作人员到达场地,组织学生到达操场及看台。运动员代表在场地站立等候,欢迎嘉宾入场,介绍来宾。升国旗,唱国歌;出校旗,唱校歌。请出优胜旗;运动员、裁判员宣誓;致欢迎词并宣布全员运动会开幕。

2.比赛和项目展示

序号	时间	项目
1	13:10—13:20	全校跑操入场
2	13:20—13:30	领导致辞
3	13:30—13:35	宣布全员运动会开始、各队退场
4	13:35—13:45	第一项比赛:200米分组赛跑,鸣枪(高一)
5	13:45—13:55	第二项比赛:抬小猪比赛(初一)
6	13:55—14:10	第三项比赛:跳绳比快接力赛(初二)
7	14:10—14:20	第四项比赛:旋风跑(初一)
8	14:20—14:35	第五项比赛:坐位体前屈仰卧起坐传球比赛(初二)
9	14:35—14:50	第六项比赛:齐心协力勇向前(高一)
10	14:50—13:05	第七项比赛:呼啦圈大传递(初一)
11	15:05—15:15	第八项比赛:沙包掷远(初二)
12	15:15—15:35	闭幕式(颁发优胜旗,欢送嘉宾和家长退场)

3.闭幕式

裁判长公布比赛成绩,校长和来宾颁发优胜旗,校长或嘉宾领导致闭幕词。

三、活动内容

1.200 米分组跑（高一年级）

（1）裁判组：1 人总负责；起点 2 人，主要组织上道和发令；终点裁判 3 人；记录员 1 人。

（2）比赛分组：高一年级分为 8 个组，黄（高一 1、3、5、7）、蓝（高一 2、4、6、8）两队，每组有 8 名同学。

（3）200 米跑积分制度：每一组按前四名积分，第一名按 10 分、第二名按 8 分、第三名按 6 分、第四名按 4 分积分，最后累计黄队和蓝队总得分。

（4）比赛组织形式：当第一组队员跑至 100 米处是发令员发第二组，以此类推。终点裁判及时判断出每组前四名，记录员记录好每组得分。

2.抬小猪（初一年级）

（1）裁判组：1 人总负责；裁判员 6 名，负责比赛过程中检查是否犯规，如有犯规要罚分，每次罚 5 分；记录员 1 人；场地布置及工作人员 8 人。

（2）比赛分组：初一年级分为 6 个组，黄（初一 1、3、5）、蓝（初一 2、4、6）两队，每队组数要均等，多余组数不参加。

（3）抬小猪比赛积分制度：每一组按前四名积分，第一名按 10 分、第二名按 8 分、第三名按 6 分、第四名按 4 分积分，最后累计黄队和蓝队总得分。

（4）比赛组织形式：比赛开始裁判员计时，每组三名同学两人抬，一人双手双腿悬挂在圆木上，沿着比赛路线完成，直至到对面进行交换，做完的同学到队尾坐下，以此类推完成比赛。全队结束后裁判员计时终止，并与主裁判核实该队名次和积分。

3.跳绳比快接力赛（初二年级）

（1）裁判组：1人总负责；裁判员6名，负责比赛过程中检查是否犯规，如有犯规要罚分，每次罚5分；记录员1人；场地布置及工作人员8人。

（2）比赛分组：初二年级分为6个组，黄（初二1、3、5）、篮（初二2、4、6）两队，每队组数要均等，多余组数不参加。

（3）跳绳比快接力赛比赛积分制度：每一组按前四名积分，第一名按10分、第二名按8分、第三名按6分、第四名按4分积分，最后累计黄队和蓝队总得分。

（4）比赛组织形式：比赛开始裁判员计时，每个队员跳30次跳绳立即换下一个同学，裁判员计数并提示换人，跳完的同学在裁判员的后方纵队坐下。

4.旋风跑（初一年级）

（1）裁判组：1人总负责；裁判员6名，负责比赛过程中检查是否犯规，如有犯规要罚分，每次罚5分；记录员1人；场地布置及工作人员8人。

（2）比赛分组：初一年级分为6个组，黄（初一1、3、5）、蓝（初一2、4、6）两队，每队组数要均等，多余组数不参加。

（3）旋风跑比赛积分制度：每一组按前四名积分,第一名按10分、第二名按8分、第三名按6分、第四名按4分积分,最后累计黄队和蓝队总得分。

（4）比赛组织形式：比赛开始裁判员计时,各队的第一组学生开始共持长杆奔跑,遇到第一个杆时逆时针方向跑,遇到第二杆时顺时针方向跑,跑完的同学把杆交到下一组,并安全回到队尾坐好,第二组学生接过长杆继续赛跑,以此形成接力。待各队全体同学都跑完后比赛结束,以结束的顺序为名次决定胜负。

5.坐位体前屈仰卧起坐传球比赛（初二年级）

（1）裁判组：1人总负责;裁判员6名,负责比赛过程中检查是否犯规,如有犯规要罚分,每次罚5分;记录员1人;场地布置及工作人员8人。

（2）比赛分组：初二年级分为6个组,黄（初二1、3、5）、篮（初二2、4、6）两队,每队组数要均等,多余组数不参加。

（3）坐位体前屈仰卧起坐传球比赛积分制度：每一组按前四名积分,第一名按10分、第二名按8分、第三名按6分、第四名按4分积分,最后累计黄队和蓝队总得分。

（4）比赛组织形式：比赛开始裁判员计时,共5个球,裁判员将第一个球交给第一个队员开始做坐位体前屈仰卧起坐传球动作,传球给下一位队员。第二球是当第一个球传至第五人时,裁判员才交给第一个队员开始,以此类推。按此方法再将球传回,全队传球结束后裁判员计时终止。同时,与主裁判核实该队名次和积分。

6.齐心协力勇向前：九人十足(高一年级)

(1)裁判组1人总负责；裁判员4名，负责比赛过程中检查是否犯规，如有犯规要罚分，每次罚5分；记录员1人；场地布置及工作人员8人。

(2)比赛分组：高一年级分为8个组，黄(高一1、3、5、7)、蓝(高一2、4、6、8)两队，每队组数要均等，多余组数不参加。

(3)齐心协力勇向前比赛积分制度：每个班级分为4小组，共有8轮比赛，每轮比赛取前两名，按第一名得5分，第二名得3分，最后累计黄队和蓝队总得分。

(4)比赛组织形式：两队的九名学生排成一排横队在起点线后站立。每个队员的腿与相邻的同学的腿用绳带绑在一起，形成九人十条腿。听到各就位的口令后全体学生准备比赛，听到枪响后，整排学生向对面的目标线移动，两队竞速，以先到达目标线的团队为胜队。

7.呼啦圈大传递(初一年级)

(1)裁判组1人总负责；裁判员6名，负责比赛过程中检查是否犯规，如有犯规要罚分，每次罚5分；记录员1人；场地布置及工作人员8人。

（2）比赛分组：初一分为6个组，黄（初一1、3、5）、蓝（初一2、4、6）两队，每队组数要均等，多余组数不参加。

（3）呼啦圈大传递比赛积分制度：每一组按前四名积分，第一名按10分、第二名按8分、第三名按6分、第四名按4分积分，最后累计黄队和蓝队总得分。

（4）比赛组织形式：以40人为例，站成两列手牵手，每列20人，第一列排尾和第二列手牵手，比赛中不能脱手。比赛开始裁判员计时，共5个呼啦圈，裁判员将第一个呼啦圈交给第一个队员开始做呼啦圈传递。第二个呼啦圈是当第一个呼啦圈传至第五人时，裁判员才交给第一个队员开始，以此类推。全队传递结束后裁判员计时终止，并与主裁判核实该队名次和积分。

8.沙包掷远（初二年级）

（1）裁判组：1人总负责；裁判员4名；记录员1人；场地布置及工作人员：8人。

（2）比赛分组：初二年级分为6个组，黄（初二1、3、5）、蓝（初二2、4、6）两队，每队组数要均等，多余组数不参加。每班级分为两个队，每人持握一个沙包。

（3）沙包掷远比赛积分制度：第三区域得10分，第二区域得5分，第一区域不得分，最后累计黄队和蓝队总得分。

（4）比赛组织形式：以每班40人为例，20个人为一组，分两组，比赛开始，每组同学手握沙包扔向投掷区，裁判记录每个投掷区的积分，累计积分为这组的总积分，最后分蓝、黄队累计积分，积分多者为胜。

　　闭幕式上宣布黄队、蓝队的最终总得分，学校领导和嘉宾为获胜队颁发优胜旗。

四、活动收获

　　学校秉承办学理念，不仅重视文化课成绩的提高，更重视学生综合素质的发展。体育育人课程比较丰富，本着"一个都不能少"的原则，集全员性、参与性、趣味性、竞争性于一体。运动会不仅锻炼身体，促进体育技能提高，同时展现学生朝气蓬勃、健康向上、团结拼搏、永不言弃的品质。

第三节　秋季田径运动会

为了丰富校园文化生活,推动学校群体活动迈向一个新的台阶,检验学校体育工作的成果,提高学生运动技术技能水平,增强学生体质、增进健康,每年秋季都会举办学校田径运动会。

一、运动会组织

1.运动会时间和分组

比赛时间:秋季学期11月。比赛地点:学校田径场。竞赛分组:高中组,高一年级、高二年级、高三年级;初中组,初一年级、初二年级、初三年级。

2.比赛项目

(1)高中男子组:100 m、200 m、400 m、4×100 m、4×400 m、800 m、1500 m、5000 m、跳高、跳远、三级跳远、铅球。

(2)高中女子组:100 m、200 m、400 m、4×100 m、4×400 m、800 m、1500 m、3000 m、跳高、跳远、三级跳远、铅球。

(3)初中男子组:100 m、200 m、400 m、4×100 m、4×400 m(预、决赛)、800 m、1500 m、3000 m、跳高、跳远、三级跳远。

(4)初中女子组:100 m、200 m、400 m、4×100 m,4×400 m(预、决赛)、800 m、1500 m、跳高、跳远、三级跳远。

(5)教职工组比赛项目:100 m、1500 m(女)、3000 m(男)、4×100 m接力赛。

3.记分办法

(1)各单项录取八名,积分按9、7、6、5、4、3、2、1,若参加六人录取五名,积分按7、5、4、3、2,以此类推,凡接力项目得分加倍并列名次得分按本名次得分加下一名得分除以2计。

(2)团体总分以各单位所参赛项目得分之和计算,积分高者名次列前,若积分相等,以第一名多者名次列前,以此类推。

二、活动内容

秋季田径运动会首先进行的是精彩的入场式。各方队排着整齐的队形,大踏步向主席台走来,他们面带笑容,昂首阔步,嘹亮的口号声振奋人心,充分彰显了学校师生的自信与阳光。

随后,进行开幕式致辞,裁判员代表和学生运动员代表分别进行宣誓,校长宣布运动会正式开始。

大型团体操闪亮登场。啦啦操表演带动了全场欢快的氛围,学生们舞动着手里的花球,跳跃着动感的舞步,张扬着青春的活力与自信。团体操表演《盛世欢歌》点燃了全场的热情,学生在阳光下挥动起火红披风,有力的动作传递着内心激动和自豪。

接下来,竞赛场上百米短跑,团体接力赛,千米长跑,运动员们超越自我,克服身体和心理的双重考验,带着必胜的信念,向着终点飞奔。

重重的铅球化身手中的许愿球,一次次抛掷心中的目标,高度和远度是他们追逐梦想的尺度,跳了一次又一次,不断挑战极限。激烈的比赛让人热血澎湃,顽强拼搏的体育精神博得现场观众的阵阵喝彩,加油助威声此起彼伏。

　　教师比赛更是点燃了赛场,教师们用自己的拼搏精神和团结协作精神感染着同学们。

　　运动会闭幕式上校领导为获得优异成绩的个人和集体颁奖,师生激动不已,为自己为班级热烈鼓掌、欢呼尖叫。运动会在全体师生的共同努力下,取得了圆满成功。

三、活动收获

　　秋季田径运动会在全校师生的热情参与和共同努力下,赛场内外洋溢着团结拼搏精神,竞赛成绩和精神文明取得双丰收。运动会既是对学校田径运动水平的一次全面检阅,也是学校师生精神风貌和综合素质的一次集中展示。这种坚持不懈、奋勇拼搏、团结协作的体育运动精神将会伴着学校师生走向新的起点,创造新的辉煌。

第七章
"515"阅读

在打造高效课堂的同时,进行"515"经典阅读工程建设,将德育教育渗透语文阅读,致力于建设一个文化校园、书香校园。学校鼓励学生多读书、好读书、读好书、读整本书,通过阅读来获取知识,开阔视野,充实思想。学校图书馆、阅览室、书吧的开放,名言名句的环境布置,早读课的背诵、阅读课的开设,经典诵读及知识竞赛活动的开展,如《红楼梦》知识竞赛、成语知识竞赛、515阅读大赛等,在校园内营造了浓厚的阅读氛围。学生在阅读中体验、思考、感悟,情感得到熏陶,文化品位得到提高,文学素养得以提升,个性思维得以发展。

第一节 《红楼梦》知识竞赛

《红楼梦》,中国四大名著之一,是古典小说的高峰,也是文学宝库一颗璀璨明珠。为丰富校园文化生活,让同学们更深入了解《红楼梦》,感受红楼魅力,学校举行《红楼梦》知识竞赛。

一、活动组织

活动名称:"寻梦红楼,共话经典"《红楼梦》主题阅读知识竞赛。活动主题:探索红楼奥秘,阐释红楼内涵;弘扬古典文化,提升文学素养。活动对象:高一、高二全体学生。活动方法：预赛和决赛。活动时间：预赛，每年5月中旬；决赛，每年6月上旬。

二、活动内容

比赛共分为四个环节，分别是必答题、抢答题、风险题和论述题。

第一轮必答题，共有9组题包供参赛选手选择。每组题包有5道选择题。每组按顺序选择题包，进行答题。答对一道获得10分，答错不扣分。

第二轮抢答题，本轮比赛由主持人现场抽签，将八组参赛组两两分成四对。每一对参赛组共同面对同一组题，进行抢答。答对加5分，答错或不答扣2分。八支参赛队伍随着主持人的现场抽签，被分为四组，两两比拼，比的不只是文学积淀，也是反应能力。

第三轮风险题，题目难度再次升级，参赛小组每组从三个不同分值（10分、15分、20分）的题中，选一题进行作答。若答对，则加上相应分数；答错则减去相应分数。

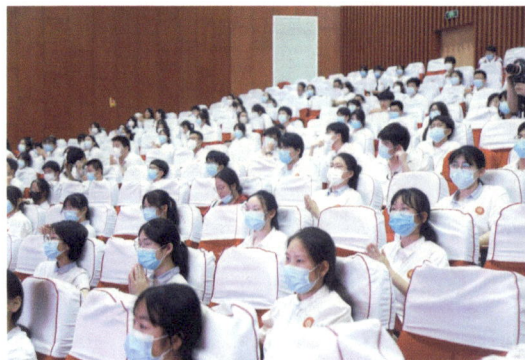

　　第四轮陈述题,本轮三组针对同一道论述题,进行自己观点的陈述。评委根据陈述内容的完整度、逻辑性,以及陈述者的表达能力进行打分。有3分钟的组内讨论时间,讨论后每组选出代表,进行观点陈述。本轮比赛考验选手们对《红楼梦》的独特理解。

三、活动收获

　　《红楼梦》主题阅读知识竞赛活动的成功开展营造了浓厚的阅读氛围,丰富了校园文化生活,激发了学生的阅读兴趣。比赛场上选手同思考、共钻研,加深了对《红楼梦》的理解,展示了学生朝气蓬勃、昂扬向上的青春风采。该活动指引学生让读书成为习惯,在阅读中浸润书香,拥抱未来。

第二节 成语知识大赛

成语是我们汉语言文化中一颗璀璨的明珠。它高度的浓缩与精练,让其魅力无限。为激发学生学用成语、积累成语的兴趣,培养学生良好的文化素养,传承中华优秀传统文化,全面落实素质教育,学校开展"成语知识大赛"。

成语知识大赛旨在营造"让每一个人都积极参与,让每一个人都快乐精彩"的氛围,为学生提供一个展示自我风采、锻炼个人能力的舞台,品味成语经典文化,体验快乐成语游戏。

一、活动组织

活动主题:学习成语知识,学做内涵少年。活动口号:成语天地,快乐你我,人人参与,成就精彩。活动对象:初一、初二年级学生。

二、活动内容

成语知识大赛经过班级初选,最后共有六支参赛队,24位同学进入决赛。

(一)第一轮——蛛丝马迹我来猜

1.读意思猜成语

由主持人读有关成语的意思,小组轮次回答,答对一个得5分,答错不得分,每个小组共5题。

2.看图片猜成语

投影仪播放有关成语的图片,小组轮次回答。每组组员在答题纸上回答正确,书写无误,完全正确得5分,写字错误或者不规范不得分,每个小组共5题。现场观众参与竞答,3名观众,每人3次机会。

计分员统计分,晋级5/6。

(二)第二轮——见多识广我来写

1.成语接龙

大屏幕显示5个成语,每组成员从大屏幕给出的5个成语中任意选择一个成语作为开始,后一个成语的第一个字要求是前一个成语最后一个字,可以同音不同字,限时在3分钟。每接1个成语得5分。若接错或接词重复,则需重新开始。

2.主题成语

以小组为单位写出含有"花"或"雨"的成语,限时为3分钟,每答对一个得5分。

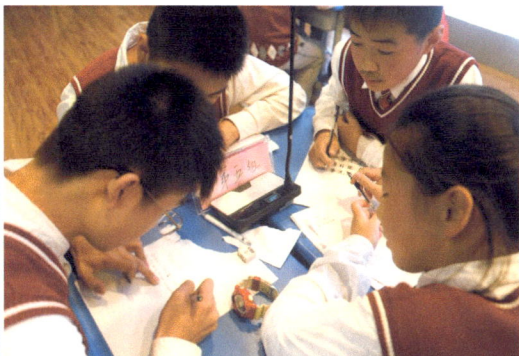

计分员统计分,晋级 4/5。

(三)第三轮——精彩绝伦我来演

心有灵犀,你比我猜。四组成员轮次上场,由 2 人表演,余下 2 名选手答题,表演者不得说出和相关成语相同的字眼,否则不得分。在规定 3 分钟时间内,每组猜对的成语个数为本组的成绩,猜对一个得 5 分。

计分员统计分,晋级 3/4。

(四)第四轮——一决高低我来找

成语知识竞答 10 题,小组轮次回答,每题 5 分。计分员统计分,晋级 2/3。

九宫格找成语 10 题,按铃抢答,每题 5 分,答对得 5 分;答错扣 5 分。计分员统计分,晋级 1/2。

实行"淘汰制",前三轮每轮比赛淘汰一支队伍,最后一轮上半场淘汰一支队伍,下半场剩下两支队伍争夺冠军。经过紧张激烈的角逐,最后评选出一个一等奖、两个二等奖和三个三等奖。最后校领导上台给获奖学生颁奖。

三、活动收获

成语知识大赛活动的开展激发了学生学用成语、积累成语的兴趣,点燃了学习的热情,培养学生良好的文化素养,营造了浓厚的阅读氛围。

第三节 "515"阅读大赛

与经典为伴,与圣人为伍,读书可以明智、明理、明德。学校提出了"515"战略阅读计划,要求学生在校三年背诵50篇优美散文,100首经典诗词,阅读50部名著。为营造良好的读书氛围,激发学生的阅读兴趣,展示学生的风采,学校还举行515阅读大赛,展现阅读成果。

一、活动组织

活动主题:腹有诗书气自华,最是书香能致远。活动对象:高一、高二、初一、初二学生。活动时间:秋季学期11月份。

二、活动内容

活动在振奋人心的诵读声中拉开帷幕,学生们用吟诵致敬经典。展演分为两个部分,第一部分是阅读分享篇,第二部分是阅读大赛篇。

阅读分享:学生代表演讲《读书是一个人的行走》,分享他的读书之乐,读书之获。重温巴金的《家》这部经典著作,分享她的阅读心得。

　　阅读大赛:决赛举行四轮阅读知识大比拼。第一轮问答题,每组8题,每题10分;第二轮主题背诵:计时90秒,以有效背诵诗句计分;第三轮选择题:每组6题,从三个选项中选择正确答案,每题10分;第四轮风险题:分50分和30分两类题组,每题两问,答对得分,答错倒扣等值分数。

活动结束后,颁发奖状。

三、活动收获

腹有诗书气自华,最是书香能致远,徜徉经典,快乐阅读。学校一直以来高度重视校园阅读活动的开展,号召相关部门开展形式多样、丰富多彩的读书活动,传承经典文化,营造书香校园。在阅读大赛的舞台上,学生们用自己最美好的青春年华,用自己的才情与学识展现了学校学子的风采。"515"阅读工程汇报展演的成功举办,激发了全体师生的阅读兴趣,营造了浓厚的读书氛围,指引学生们让读书成为习惯,让经典点亮人生,在阅读中启迪智慧。

第八章
校园艺术节

校园艺术节是学校文化活动的重要组成部分,在弘扬中华民族传统美德、培养学生的集体荣誉感等方面具有不可忽视的作用。这种艺术形式摆脱了以往教师对学生空洞刻板的说教,采用朗诵、舞蹈、音乐等多种艺术方式传达德育内容,寓教于乐,充分发挥学生的自主性和创新性,释放个性,最终在潜移默化中完成艺术和教育的相互渗透。

第一节 "唱支红歌给党听"合唱比赛

"红歌"在学生思想政治教育工作中具有重要的价值,是推进学生爱国主义教育的重要力量。红歌不仅歌词美,而且它记载了一段段令中国人骄傲的历史,是爱国主义教育的好教材,是学生重温历史、继承革命传统的好教本。一首首红歌教育着一代代人成长,使大家在唱红歌中受到教育,在红歌中汲取丰富的政治营养。通过"红歌"活动,回顾党的光辉奋斗历程,更好地激发全体师生爱党爱国热情,增强实现中华民族伟大复兴责任感和使命感。

一、活动组织

活动名称:"唱支红歌给党听"。参与对象:全校师生。活动形式:第一阶段:学唱排练红歌;第二阶段:红歌合唱比赛。评委6人:校党总支副书记、德育副校长、音乐老师、年级主任。

二、活动安排

1.第一阶段:学唱排练红歌

以班级为单位,全员参与学习演唱红色歌曲、领会歌曲意义。推荐曲目有《没有共产党就没有新中国》《歌唱祖国》《唱支山歌给党听》《红旗飘飘》《我爱你,中国》《党啊、亲爱的妈妈》等。各班级也可以根据学生实际,在此基础上选学其他红色歌曲。歌曲排练由各班班主任组织负责,音乐教师协助。班主任结合音乐教师建议,选择合适的革命红色歌曲,利用课间、音乐课、午休后、班会等时间进行循环播放和学唱,尤其是音乐课上,音乐教师对所选歌曲要认真进行专项指导,力求每个学生学会、学精。排练红歌要精心编排设计,采用多种演唱形式如领唱、齐唱、轮唱、声部唱等。

2.第二阶段:红歌合唱比赛

以班级为单位合唱,班级全员参与,每班演唱两首歌曲,演唱时间不超过7分钟,合唱须有一位指挥。参赛班级要提前准备好演唱背景图片或视频,自备演唱伴奏带,也可现场伴奏。根据歌曲内容自行设计动作和准备道具。各班合唱前要有简短介绍词(或介绍演唱曲目,或抒发对党和国家的祝福等)。比赛顺序由赛前抽签决定。经评委会打分,按照演唱成绩高低,评选出各个奖项。

3.评分标准(总分100分)

(1)歌曲内容:要求参赛曲目内容健康向上,符合红色歌曲的主题,歌曲演唱完整,能够准确把握歌曲的主题思想。(20分)

(2)演唱水平:要求声音洪亮、统一,音高、节奏准确,吐字清晰,音色优美,富有感染力,调动现场氛围。(20分)

(3)编排设计:新颖独特,有创意,可采用多种演唱形式如领唱、齐唱、轮唱、声部唱等。(20分)

(4)精神面貌:精神饱满,情感投入,表情和动作自然大方,富有朝气与热情,体现中学生的青春风采。(20分)

(5)团体印象:服装统一,台风沉稳,队形整齐,上下场安静有序。(20分)

三、活动过程

学校展开红歌大合唱活动,通过歌咏的形式,回顾党的光辉奋斗历程,激发全体师生爱党爱国热情,增强实现中华民族伟大复兴责任感和使命感。红歌合唱全员参与,学生们在班主任的组织下,精心选歌、反复练唱、创意编排、充分准备。各年级展开激烈初选,全校共有十个班级进入最红歌合唱决赛。

师生齐聚学校报告厅,家长们通过网络直播平台一同观看精彩的演出。决赛现场气氛热烈,师生着装统一,精神饱满地演唱了《我和我的祖国》《我们是共产主义接班人》《保卫黄河》《我的中国心》《红旗飘飘》《歌唱祖国》《映山红》《祖国不会

忘记》《我爱你中国》等22首红色经典歌曲,或荡气回肠、气势磅礴,或婉转深情、直抵人心。红歌合唱与诗朗诵、舞蹈、乐器等结合,配合使用各种道具,变换多种队形,表演形式别出心裁。

全体教职工压轴演唱的《唱支山歌给党听》《没有共产党就没有新中国》更是将全场气氛推向了高潮,嘹亮的歌声、优美的旋律致敬激情燃烧的岁月,表达对党和祖国最美好的祝愿。

四、活动收获

一曲曲脍炙人口、广为传唱的经典红歌铿锵有力、优美动人,带我们重温了党的光辉岁月,师生在合唱中洗礼灵魂、心灵受到震撼和启迪。通过活动引导全体师生继承革命先烈的光荣传统,厚植爱国主义情怀,树立正确的理想信念,以高昂的斗志投入工作和学习中去。

第二节　社团展演活动

学生社团是校园文化活动的有效载体,是学校第二课堂的重要组成部分。社团建设已经成为学校德育工作的有效手段和重要内容。通过开展社团活动,丰富校园文化生活,培养学生兴趣爱好,以及创新精神和实践能力。学校每年举行的社团展演更是为学生社团提供了展示自我的舞台,让学生的个性特长得以充分发挥。活动口号:参加一个活动,培养一种兴趣;学会一门知识,练就一项技能;体会一个成功,享受一份快乐。

一、活动组织

活动地点:活动学校操场和大报告厅。参与人员:学校全体领导、各社团负责人、各学生社团代表。

二、活动过程

为展示学校学生的青春风采,见证学生的成长收获,学校举办社团展演活动,以特色校本课程为基础,给学生提供展示自我才华的舞台。展示活动以"现场表演"及"展板展台展示"两种形式进行。"展板展台展示"要求全部社团(特色课)均参加,"现场表演"的节目提前进行报名登记。展演分三个场地依次展示,首先是大厅展演区,大合唱《飞来的花瓣》《我和我的祖国》、校园英文诗朗诵,激荡心灵,带来美的享受。

随后是体育馆展演区,篮球社团的学生们在篮球场上尽情挥洒汗水,绽放青春的热情。啦啦操社团随着动感的音乐节拍,跃动青春的活力。"神采飞扬"跳绳社团推陈出新,个人花样跳绳、双人双摇、大绳套小绳、交互绳等,绚人眼目。

最后报告厅展演区,师生同台主持,学校各社团登上舞台带来的精彩演出。开场的经典诵读《如果没有李白》,带我们感受经典的力量,学生以饱满的情绪诵读经典,激昂的诵读声响彻校园。女声独唱《山寨素描》,婉转的旋律,悠扬的歌声,唱出我们中华儿女的精神情怀。

　　心灵世界校园心理剧社通过"自己演，演自己"，用心理剧的形式表达情感，致敬五四运动一百周年。翩若惊鸿，婉若游龙，轻盈的舞姿，舞动别样的魅力，《惊鸿舞》博得满堂喝彩。

　　黄梅戏进校园是学校特色课的一大亮点，黄梅戏剧社社员们身体力行弘扬民族文化，说唱做打、身形步伐有模有样。行知墨香书法社团，"书天地之美，修德艺双馨"，学生现场挥毫泼墨，展现风采，赢得场内赞叹连连。

　　舞韵人生舞蹈社团带来舞蹈串烧《青春飞扬》，动感的舞步彰显青春的自信，舞动青春的风景，展现我校学子的青春活力。巴别沙龙英语社团上演压轴大戏，全英文倾情演绎莫泊桑经典作品《项链》，小演员们演技炸裂，情感收放自如。

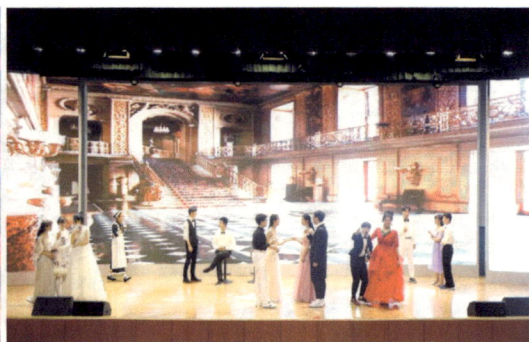

三、活动收获

学校在狠抓教学质量的同时,致力于学生的全面发展,将社团作为提升学生综合素质的第二课堂。活动的开展,展示了学生的青春风采,见证了学生的成长收获,追求卓越,永不止步。

第三节　元旦联欢会活动

文艺汇演是一种高品位、高标准、高格调的文化活动。一种高雅的艺术,能够提高学生审美修养,陶冶情操,起着触动灵魂、震撼思想、提升精神、催化超越的巨大作用,进而促进学生身心健康发展。在每年 12 月 31 日,学校组织开展元旦联欢会文艺汇演活动,全面展示和检验学校素质教育成果。全体师生同台献艺,欢聚一堂,辞旧迎新,不仅能展示个人和团体风采,还能愉悦身心,增进交流,丰富校园文化生活,营造学校和谐共进的良好氛围。

一、活动组织

活动时间:12 月 31 日。活动地点:学校大报告厅。

二、活动准备

元旦联欢会文艺汇演活动以年级组为单位,每个年级组至少上报 3 个节目。要求:内容文明健康、积极向上,用艺术的形式弘扬民族优秀文化和中华民族传统美德,唱响时代主旋律,展现校园新风尚;形式力求灵活多样、新颖、丰富多彩,有独创性。

三、活动过程

12月31日下午,学校报告厅灯光璀璨,欢声笑语,以"用心前行,筑梦远航"为主题的元旦联欢会正在这里精彩上演,师生欢聚一堂,辞旧迎新。联欢会还进行了网络同步直播,全体师生和家长或在现场,或通过网络直播平台共同观看了精彩的演出,家校同乐,喜迎新年。

当振奋人心的旋律响起,合唱歌曲《少年中国说》,元旦联欢会的大幕徐徐拉开。学生的舞蹈表演《牵丝戏》《靓男靓女》《新·莲》《魅力女孩》"Love sick girls"、新疆舞《鼓乐》、器乐演奏《囍》、小品《新闻播报》《五班那些事》、独唱《天外来物》、合唱《稻香》、英语话剧《后妈的茶话会》、魔术表演、汉服走秀等节目精彩纷呈,让人目不暇接、赞叹连连。教师节目歌舞表演《青春修炼手册》《师恋阵线联盟》"we will rock you"《高三,在一起》《精灵舞》更是将现场气氛一次又一次推向高潮,赢得台下学生的阵阵掌声和欢呼尖叫。师生互动,台上台下、场内场外抽奖环节引爆全场气氛,精美礼包带给师生新年的惊喜。

四、活动收获

　　师生同台献艺,节目形式多样,题材广泛,内容丰富,编排别出心裁。学生和老师各显神通,舞台上纷纷秀出自己的才艺,为观众们奉献了一场精彩绝伦的视觉和听觉盛宴。元旦联欢会的圆满成功,既传递了新年的祝福,给师生带来了欢乐,提供了充分展示个人才华的舞台,又进一步丰富了师生的校园文化生活,增强了集体的凝聚力,鼓舞了全体师生以更加昂扬的姿态开启新一年的工作学习。

第九章
社会实践

学生参加社会实践活动是接触社会、学习社会、服务社会的一门重要课程。社会实践是课堂教学的延伸和补充，它帮助学生实现理论和实践的结合，主要包括社会调查、公益劳动、社会服务等。社会实践活动坚持培养有理想、有道德、有文化、有纪律的社会主义建设合格人才，引导学生接触社会，了解实际，向工农学习，向实践学习，增强社会责任感，树立为人民服务的思想。

第一节　军训活动

通过入学军训教育，培养学生吃苦耐劳的精神和坚忍不拔的顽强作风，增强集体主义观念与团队合作的精神，在政治素质、思想素质、身体素质、自我管理能力以及协作能力等方面得到全面锻炼和提高，为适应紧张的高中学习生活奠定良好基础。

一、军训组织

（一）组织领导

军训期间，成立由校长为组长的军训领导组。领导组分若干小组，包括军训督导评比督导小组、内务督导小组、宣传以及课外活动组织小组、医务保障小组、检查评比组,以便监督军训活动顺利开展。军训对象为高一全体学生。设总教官1名,每班1名教官。

(二)任务目标

(1)学习解放军优良传统和优良作风,培养顽强的拼搏精神和敢于吃苦的优良作风。

(2)增强学生的国防意识、树立国防观念,培养学生的爱国主义热情,坚定学生报效祖国、立志成才的信念,培养为祖国敢于献身的崇高爱国主义精神,树立对国家民族至高无上的责任意识。

(3)培养一切行动听指挥的坚强纪律意识。

(4)掌握基本的队列条令和徒步训练科目,大课间活动有跑操列队(班主任准备好班旗、会操进场词)、跳绳、一分钟速跳、啦啦操等,基本内务叠被子、打扫卫生、物品整齐摆放等达到基本要求。

(5)掌握各种礼仪,养成良好的生活、学习及行为习惯。

(6)明确各系列的校规校纪及细则,纪律意识有明显的增强,迅速适应高中阶段全封闭寄宿制的学习和生活节奏。

(三)军训要求

(1)严格训练,时间、课目、训练内容按军训活动安排统一进行。

(2)学生要令行禁止,服从管理,不迟到,不早退,统一着军训服、运动鞋,无故不参加军训者按旷课论处。

(3)以班级为单位参加,年级主任、班主任、相关体育老师、宣传老师每天必须提前至少20分钟到校,组织好学生,协助教官训练,关心学生身体状况。

(4)所有活动纳入评比。

(四)军训日程安排

(1)6:00—6:20   起床、洗漱;

(2)6:20—6:40   早餐;

(3)6:45—7:20   早练军歌;

(4)7:30—11:30   队列队形,跑操;

（5）12：00—13：50　　　午休；

（6）14：00—15：00　　　队列队形，跑操；

（7）15：10—17：0　　　 啦啦操，跳绳；

（8）18：30—21：00　　　军事理论，拉歌，内务整理，文艺表演；

（9）21：30　　　　　　　禁声、熄灯、晚寝。

（五）考核办法

1.班级考核

（1）军训期间的纪律及卫生记录，按相关的考评细则直接记入班级考评成绩。要求年级部把每天的队列训练情况和内容情况都要进行公布汇总和点评。

（2）军训各项评比：队列会操表演评比、教室及宿舍卫生及内务技能比赛、黑板报评比、班级励志信诵读比赛、自习及晨读比赛（比赛项目依据具体情况灵活掌握），最后将各系列评比名次赋分汇总，按总分算出最后总名次，列入班级考评。对总评优秀班级颁发"军训先进班级"奖状。

2.个人考核

将根据个人表现评出军训标兵、内务标兵等若干名，并记入个人的《中学生综合素质评价》中。

二、军训内容

根据学校实际，学生军事集中训练教学内容分为三部分。

（一）课堂教育的内容

1.国防教育

学习我军优良传统和优良作风，学习解放军先进事迹等，以报告会、录像片、军事题材的影片等形式举行。

2.新生入学系列教育

一是常规纪律及习惯养成系列教育，二是系列安全教育及预防传染病教育，三是学习方法指导教育。

3.法制教育

人武部政委开展国防知识讲座。

(二)军事训练的内容

1.执行队列条令

训练内容有稍息、立正、跨立、停止间转法、整齐报数、齐步走与立定、跑步等科目。大课间活动有如3分钟规范集合、跑操列队、跳绳、一分钟速跳、啦啦操,训练队列会操、编方队、合练、汇报表演等科目。

2.执行内务条令

每天按照内务卫生的统一标准整理内务,每天对内务进行检查评比。基本内容叠被子、打扫卫生、物品整齐摆放等达到基本要求。进行行为养成教育:遵守一日学习、生活制度,与教官和教师打招呼等礼仪训练、进入办公场所打报告等科目训练。安全教育:开展普法及安全知识讲座,通过经典案例,让学生了解基本法律知识,学会保护自身安全。学法指导:班主任按学校统一要求教会学生遵守自习及晨读课的规则以及校纪校规等管理规定。

(三)军训会操展演

当青春遇上那抹迷彩绿,绚丽的人生翻开新篇章。校运动场上洋溢着青春的气息,挥洒着军人的豪情,新生军训会操表演正式开始。

学生们迈着矫健的步伐依次走过主席台接受学校领导、老师和家长的检阅。走齐步,整齐划一;跑起步,稳健有力;喊口号,声音嘹亮;啦啦操,活力四射;《感恩的心》手语舞,暖心温情;队列动作,干脆利落;军歌嘹亮,鼓舞人心。整场军训汇报活动内容丰富,形式多样。

最后,进行热烈的表彰活动。热烈的掌声表达对获奖班级和优秀学生衷心的祝贺,激励大家学习先进、勇创佳绩。

三、活动收获

军训训的是纪律意识,练的是内化于心的永不放弃、顽强拼搏的精神。学生在烈日下纹丝不动的挺拔军姿,滴滴滑落脸颊的汗珠,无不彰显着坚持的可贵。"千淘万漉虽辛苦,吹尽狂沙始到金",学生们在军训中强化了国防意识,锻炼了体魄,磨炼了意志,增强了组织纪律性和集体荣誉感。

第二节　"社会素质拓展"活动

芜湖市青少年社会实践基地位于江北裕溪口,主要开展生存体验、素质拓展、科学实践、主题教育等丰富多彩的实践。社会实践活动将增强学生动脑、动手解决实际问题的能力,激发学生挑战极限、超越自我的潜能,培养学生相互协作、战胜困难的团队精神。

一、活动组织

活动地点:芜湖市青少年社会实践基地。参与对象:初二全体学生。

二、活动内容

在这短短的两天里,实践基地精心准备了多项活动,课程按照天气制订晴雨课表,室外开设素质拓展训练,含众志成城、信任背摔、模拟电网、齐心协力、梅花桩、合力制胜、攀岩、中空五连环、水上吊索桥等活动课,室内开设汽车模拟驾驶、多米诺骨牌、科学创新活动、3D打印、5D影视教育、微型机床实操、自行车简单组装、雷阵、现代农业等活动课。

三、活动收获

通过活动,同学们不断地克服困难,挑战自己,不仅增长了知识,磨砺了意志,培养了合作意识,还收获了喜悦。更为重要的是,同学们取得了人生中最宝贵的财富,积极向上的人生态度和团结协作的能力。

第三节 研学活动

从开放的教育视野,以研学旅行的方式,拓展学生学习与发展的渠道,加强教育与社会的联系,改进社会实践及研究性学习等综合实践活动思路,全面实施高中新课程,促进学生综合素质的全面提高。

一、活动组织

学生研学旅行是学校推行素质教育的一个重要内容,也是学校对学生实施德育教育的一个有效手段。为加强对研学旅行工作的领导,学校成立由校长任组长,分管副校长为副组长,各相关处室负责人为组员的"研学旅行"试点工作领导小组。领导小组制订研学旅行活动方案、安全保障方案、突发事件应急处理预案。活动主题:立德树人,实践育人。参加人员:高一年级部分学生。

二、活动内容

(一)厦门研学

同学们到达厦门后进行了隆重的开营仪式。研学教练向同学们介绍研学的行程、目的及意义,指导学生要用查(查阅相关资料)、制(制订研究计划)、看(实地走访勘察)、听(聆听专业讲述)、问(详细询问了解)、比(纵向横向比较)、写(认真记录填写)这几种方法进行研究学习。

第一站,我们来到了厦门植物园。研学教练布置了学习目标:一是了解亚热带季风气候下的景观植被及生长环境;二是了解不同植被的土壤成分;三是比较芜湖与厦门两地代表植物,分析植物形态与生长环境的关系。教练带着学生根据目标进行分组活动,教他们如何检测土壤的湿度、酸碱值、光照等,培养学生的观察能力、团队协作能力、思考学习能力等,寓教于乐。

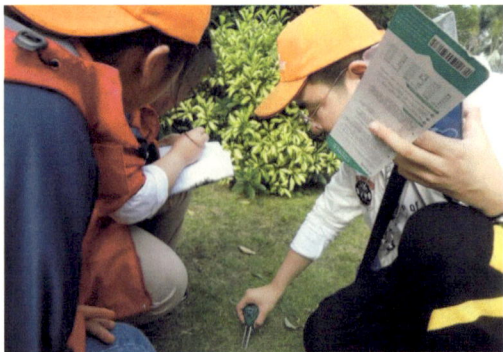

第二站，看大海。寻着咸咸的海风，胡里山炮台下的海滩让学生真实地感受到大海的壮阔与自由。他们尽情欢笑，与海共舞，这是年轻的声音，这是少年的姿态。

第三站，我们相约桥福楼。桥福楼外部结构是单圈圆楼，高三层，中为天井，底楼正对着大门中间有个厅堂。大家怀着敬畏，走进内堂，感受着历史的气息。

第四站，我们来到厦门科技馆和博物馆。科技馆四百多项展品，为大家奉上了一道道科技大餐。博物馆之行，增强了大家的历史责任感和民族自豪感。

（二）北京研学

为了促进学生全方面发展，我校开展研究性学习和旅行体验相结合的校外教育活动。我们带学生走出校园，开启了北京研学之旅，让学生在研学旅途中亲近自然、参与体验、丰富知识、开阔视野。

第一站，同学们来到了北京交通大学。在这里举行了研学营开营仪式，同学们认真聆听了北京大学教授精彩讲座《大学何为》，在激昂的营歌和宣誓声中，怀揣着对未来的期待扬帆起航。

第二站,奥林匹克公园。鸟巢、水立方、玲珑塔、国家体育馆以及富有趣味性的素质拓展活动让同学们充分地体验了奥运激情,感受了奥运的拼搏进取精神,培养了良好的团队合作精神!

第三站,中国人民军事博物馆。从博物馆一路走来,一件件军事展品映入视野,仿佛带同学们回到了那个战乱纷飞的年代,同学们深刻地感受到国家一路成长壮大的艰辛与自强,懂得今天幸福生活的来之不易,学会感激,学会珍惜。

第四站,北京杜莎夫人蜡像馆。蜡像馆众星云集,各行各界中外名人蜡像栩栩如生,同学们兴奋地与自己的偶像合影留念,近距离接触。

第五站,南锣鼓巷。同学们穿梭于百年历史的老胡同,体验老北京风情的街巷,感受老北京味道。

第六站,天安门广场观看升旗仪式。看着国旗护卫队战士威武的身姿,听着庄严有力的国歌,五星红旗迎风飘扬起来。在场的每一位学生自豪感油然而生,更有一份沉甸甸的使命感与责任感激荡在心房。

第七站:故宫博物院。殿宇巍峨,雕梁画栋,红墙、黄瓦、青砖、汉白玉、浮雕让大家应接不暇,同学们沿着中轴线一路穿过三大殿、乾清宫、御花园,呼吸着历史的气息,倾听着紫禁城的声音。

第八站，国家博物馆。漫步于博物馆，仿佛置身于岁月的长河中，每一件文物展览都是给人以启迪的历史重现，同学们感知着岁月的沉淀，惊叹中华文化的博大精深。

第九站，东图影剧院欣赏杂技表演。滑稽诙谐又扣人心弦的杂技秀表演《天地宝藏》让人大开眼界，同学们和演员亲切互动，表演的高空旋转圆盘博得了满堂喝彩。

第十站，中国科学技术馆。科技馆展品之多、面积之大让学生大饱眼福，充分展示了我国和世界的科技发展，展示了科技的神奇与美妙。同学们徜徉在科学的海洋中，通过参观了解和直接参与科学模拟场景的实践操作，切身体验到科学的魅力，学习了课本以外的科学知识，激发了探索科学的热情。参观结束，同学们意犹未尽，兴致勃勃地讨论着自己所见到的趣味科学。

第十一站，颐和园。水光潋滟晴方好，昆明湖碧透，柳叶飘飞，荷香四溢，恢宏的楼台亭阁掩映在绿水青山之间，令人心旷神怡。同学们漫步其中流连忘返，用相机定格美丽。

第十二站，居庸关长城。细雨迷蒙，翠霭浮空，如置仙境，长城逶迤盘旋在耸峭的山脊上。同学们用脚步丈量长城，用手轻抚每一块青砖，金戈铁马、狼烟四起的历史凝重感扑面而来。无限风光在险峰，攀登路上同学们冒雨前进，不言放弃，肩并肩手牵手互相鼓劲、互相扶持，勇攀高峰，用心感受古老的中华文明，用实际行动践行伟大的中华精神，心底燃烧起强烈的民族自豪感。

第十三站,北京大学。古色古香的绿瓦红墙,巍峨的博雅塔和波光荡漾的未名湖,同学们漫步其中,感受着北京大学独特深厚的精神魅力,激励自我成就更好的自己。

为期6天的北京研学之旅,同学们领略了祖国山河的美好,感受了首都北京的精彩,丰富了知识,开阔了视野。放下课本,走出校园,这个夏天课堂在路上,留下的每一个足迹都记录了学生别样的成长,放飞青春的梦想,汗水浸透衣襟,欢笑洒满路上,收获沉淀心间。

（三）绩溪研学

活动主要通过游览绩溪自然风光、人文景观,开阔同学们的视野充分感受江南水乡的美好,对徽文化有更深切的了解。

一下车同学们就被眼前的景色迷住了,锦绣龙川,山色空蒙,翠色轻烟,水墨铺染,丹青绘就,龙川之景处处皆可入画。漫步在江南水乡中,仿佛这里的时间是静止的,烟雨遥,碧波盈,穿梭千年岁月,享受岁月静好的纯粹,古朴、醇厚、淡雅、质美的徽派建筑和湖光山色涤荡着每一颗浮躁的心。

绩溪山水灵秀,文风昌盛,代有闻人,宗祠建筑遍布。同学们早已耳闻龙川胡氏代有人才出,迫不及待地来到了龙川胡氏宗祠。胡氏宗祠为明代户部尚书胡富、兵部尚书胡宗宪、清朝红顶商人胡光镛的族祠,宗祠坐北朝南,前后三进,蔚为壮观,有"徽派木雕艺术宝库"之称,被列为国家重点文物保护单位。宗祠内陈列着大量精美的徽派石雕、木雕、砖雕文物。宗祠内的隔扇门裙板木雕荷花图,寓意"和谐""和美""和顺""和鸣",体现出以"和"为贵的传统儒家思想。扑面而来的历史感,目光所及,斑驳的痕迹,处处都仿佛在娓娓诉说着古老而神秘的往事。

出胡氏宗祠,同学们来到了澄心堂。清代诗人赵廷挥有诗云:"山里人家底事忙,纷纷运石迭新墙,沿溪纸碓无停息,一片春声撼夕阳。"勾画出一幅勤劳的徽州山区人民从事造纸业的美丽图景。位于龙川景区东面龙须山中有一种龙须草,是制造澄心堂纸的主要原料,所以"澄心堂纸"又被当地人称为"龙须纸"。那么龙须草又是怎样变成"龙须纸"的呢? 同学们怀着强烈的好奇心参观了澄心堂古造纸工艺现场,澄心堂内同学们一个个聚精会神见证奇迹,亲眼见证非物质文化遗产澄心堂纸的制作过程,赞叹古人伟大的智慧,感受当年"春杵声声龙草地,长船列列到前村"的空前盛况,增长了见识,开阔了眼界。

下午,同学们到达绩溪博物馆。这是一座地方历史文化综合博物馆,展馆分为序厅、绩水徽山、人文绩溪、商道绩溪、风土绩溪、徽韵绩溪和徽味绩溪七个部分。同学们置身其中,感悟绩溪悠久的山水自然之魂魄和历史文化之沉淀,丰富了知识,充实了头脑。

春风温软,草长莺飞,恰同学少年,风华正茂,同学们在研学旅行中用眼用心用情发现美、体验美、创造美,看过的景色、听过的故事、走过的足迹充盈着每一个同学灿烂的青春。

（四）泾县研学

天朗气清,绘成暮春之行;水墨丹青,行旅徽州宣城。为进一步推进素质教育,弘扬中华传统文化,丰富校园文化生活,开阔学生视野。学校组织师生开展了"走进文房四宝之乡——泾县"研学之旅活动。

　　研学活动第一站——查济古镇。查济古镇位于安徽省宣城地区,离所属泾县县城尚有百里之遥。原汁原味地保留着大量的古代建筑,包括桥梁、祠堂、牌坊和民居,有元、明、清三代古民居数百幢,是一处保存较为完整的古建筑群,也是我国现存规模最大的明清古村落。

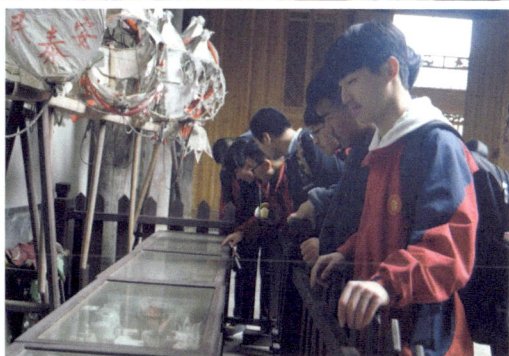

在小桥流水边,同学们见到了传统徽派建筑。看着窄窄的灰墙古巷,学生不由自主地背诵出了戴望舒的《雨巷》:"撑着油纸伞,独自彷徨在悠长悠长又寂寥的雨巷……"这样真切的体验使他们更深刻地感受到中国现代诗歌的魅力。学生聆听着导游的细心讲解,陶醉其中,尽情感受着历史文化的熏陶。

查济古镇之旅结束后,研学之旅的第二站——中国宣纸文化园。

园中共有中国宣纸博物馆、宣纸古作坊、宣纸古籍印刷、文房四宝体验园、宣纸陈列室、书画长廊(含书画家工作室)、文房四宝与书画市场、江南民俗园八部分,是一处展示宣纸制作技艺、介绍宣纸历史的体验式景区。在这里,学生参观宣纸古作坊,领略宣纸古老的制作技艺,有些同学亲手参与了宣纸制作过程,感受古代人民的伟大智慧,捞一张宣纸来亲身感受宣纸的艺术魅力。在中国宣纸博物馆中,学生们更全面地了解了中国书画的艺术风采。尤其是手工捞制的世界最大宣纸"三丈三"的制作场面深深震撼了在场的学生。工人师傅们齐心协力共同打造这个手工"奇迹"的过程令人动容。

一张宣纸,竟有如此繁琐的制作工序。生产宣纸的师傅们用匠人精神感动了在场的学生,让大家感受到徽州人民的智慧力量和传统文化的精神内涵。

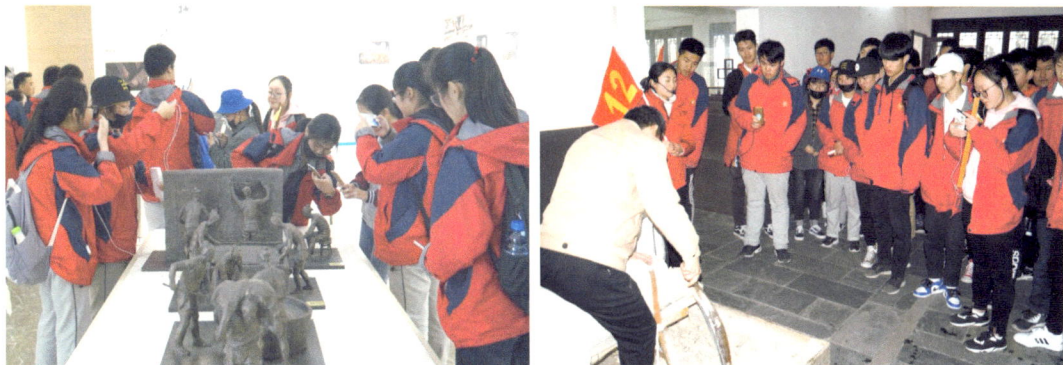

纸上得来终觉浅,绝知此事要躬行。正如中国书画中的留白,泾县研学之旅虽然结束,但相信这次研学之旅的美好体验会深深留在同学们的心中。

三、活动收获

研学活动是把学习与旅行实践相结合,把学校教育和校外教育有效衔接,强调学思结合,突出知行统一,研学旅行中学会动手动脑,学会生存生活,学会做人做事,促进身心健康,有助于培养学生的社会责任感、创新精神和实践能力。